Français langue seconde
Niveau intermédiaire

# En avant la grammaire!

Cahier d'activités de grammaire en situation

Flavia Garcia

**Données de catalogage avant publication (Canada)**

Garcia, Flavia

En avant la grammaire ! : cahier d'activités de grammaire en situation

(Français, langue seconde)

Pour les apprenants du français, langue seconde, adultes ou jeunes adultes de niveau intermédiaire.

ISBN 2-89144-308-X

1. Français (Langue) — Grammaire — Problèmes et exercices. 2. Français (Langue) — Étude et enseignement — Allophones. I. Titre. II. Collection : Français, langue seconde

PC2119.G36 1997      448.2'4'076      C97-940319-7

L'Éditeur et l'auteure tiennent à remercier mesdames Gisèle Rajotte, du COFI du Parc, à Montréal, Suzanne Belzil, et Janine Courtillon, et monsieur Hubert Séguin, de l'Université d'Ottawa, de leurs précieux conseils.

Révision linguistique : Suzanne Teasdale
Illustrations intérieures : Daniel Shelton
Conception de la page couverture et infographie : Guy Verville
Conception de la maquette intérieure : Lucie Coulombe

Éditions Marcel Didier inc.
1815, avenue De Lorimier
Montréal (Québec)
H2K 3W6  Canada

Téléphone : (514) 523-1523
Téléopieur : (514) 523-9969

ISBN 2-89144-308-X

Dépôt légal — 4e trimestre 1997
Bibliothèque nationale du Québec
Bibliothèque nationale du Canada

© Copyright 1997
Éditions Marcel Didier inc.
Distribution Éditions Hurtubise HMH

*Imprimé au Canada*

# Préface

Le seul titre de l'ouvrage de Flavia Garcia annonce à la fois une approche dynamique et une déclaration très claire de l'auteure en faveur d'un enseignement explicite de la grammaire française. Et c'est bien ce qu'on trouve, au fil des pages : une double présentation de mini-situations choisies délibérément pour mettre en œuvre tel ou tel mécanisme grammatical et, en parallèle, des exercices pour le systématiser.

La sélection des points traités, judicieusement effectuée en fonction du niveau des élèves visés (adultes de niveau intermédiaire), est répartie en sept chapitres dont l'ensemble traite d'autant de catégories reliées aux deux groupes de l'unité phrastique : pour le GV (le groupe verbal) sont retenus les modes impératif et conditionnel, la voix pronominale et les temps passé et futur ; pour le GN (le groupe nominal dans ses différentes fonctions syntaxiques par rapport au verbe), les adjectifs qualificatifs et les pronoms personnels. Une variété d'activités (une bonne centaine), parfois contraignantes, parfois ouvertes à l'imagination des locuteurs et des tableaux grammaticaux récapitulatifs (une bonne cinquantaine), avec exercices, permettent de systématiser et de rappeler les phénomènes étudiés, en utilisant le métalangage nécessaire, mais sans en abuser.

Les thèmes abordés, qui reflètent fidèlement la réalité montréalaise actuelle (sans toutefois s'y confiner), génèrent des modèles d'échanges langagiers appropriés et motivants — qui ne sont pas tous bien sûr des innovations et qu'on peut retrouver ailleurs. Mais ce manuel (qui a la forme d'un cahier d'exercices) tire surtout son originalité du fait qu'il ose mettre sur un pied d'égalité ses deux objectifs : développer la compétence grammaticale et développer la compétence de communication. Trop des manuels commercialisés depuis les dernières décennies, escamotant la grammaire (dans leurs velléités de faire du communicatif), ont assez démontré que faire apprendre une langue sans passer par une quelconque réflexion sur son fonctionnement et sur ses règles d'usage pouvait mener à de piètres performances et même compromettre l'efficacité de la communication.

Il convient donc de louer Flavia Garcia, elle-même symbole d'une remarquable réussite dans l'acquisition d'une langue étrangère, d'avoir su mettre à profit son expérience à la fois d'apprenante et d'enseignante du FLS, pour nous offrir un manuel où la grammaire, loin d'être rébarbative et scolastique, se veut pratique, signifiante et rassurante.

Hubert Séguin
professeur agrégé
Institut des langues secondes
Université d'Ottawa

Mai 1997

# Avant-propos

Destinés à l'enseignement du français langue seconde de niveau intermédiaire, aux jeunes et aux adultes, les exercices de *En avant la grammaire !* faciliteront avant tout la pratique de certaines particularités grammaticales dans des situations de communication proches de la réalité. Ainsi, les étudiants trouveront-ils dans ce cahier l'outil idéal qui leur permettra d'apprendre à communiquer en français tant à l'oral qu'à l'écrit, en intégrant les formes correctes des énoncés.

Chaque sujet est présenté selon une double perspective : le fonctionnement syntaxique et morphologique d'un élément grammatical, et son utilisation concrète dans des contextes de communication variés, riches et signifiants. Les structures ou éléments grammaticaux ciblés dans les activités s'imbriquent parfaitement aux cadres de communication, entre autres grâce à des documents authentiques, à des mises en situation.

Les chapitres comportent trois parties.

- Un **tableau grammatical** aidera les étudiants à avoir une vue d'ensemble d'une particularité grammaticale et de ses caractéristiques syntaxiques et morphologiques.

- À travers des **activités et exercices de grammaire** axés sur la communication, les étudiants pourront s'exercer, à l'oral ou à l'écrit, à certains aspects du fonctionnement grammatical du français. À la fin de plusieurs activités, des **capsules grammaticales** font le point sur les sujets abordés.

- Des **tableaux d'entraînement** présentent, hors contexte, les aspects du fonctionnement grammatical vus dans les activités et exercices, de façon à en faciliter la pratique sans avoir à répondre aux exigences de la communication. Les tableaux d'entraînement peuvent être utilisés en combinaison avec les activités grammaticales communicationnelles.

Comme *En avant la grammaire !* se veut un outil de communication, nous avons ajouté aux activités et exercices des exemples de différents registres de langue, rendant compte ainsi de la diversité des choix linguistiques possibles en français. De la sorte, des expressions appartenant au français familier, couramment utilisées à l'oral, côtoient des exemples de français soutenu, surtout présents dans le discours écrit.

Enfin, pour l'ordre de présentation des chapitres et des particularités grammaticales, nous avons évité la gradation allant du plus simple au plus complexe. Les exercices et activités de *En avant la grammaire !* se présentent plutôt comme une banque dont la gestion incombe soit aux étudiants soit aux enseignants, selon les besoins et les difficultés qu'ils rencontreront tout au long du parcours.

Ce livre est dédié à mes parents.

Flavia Garcia

# Table des matières

# 1 Impératif

## Table des matières

*Impératif*

# Tableau grammatical

## *Impératif*

1. Forme

   a) En général, les verbes à l'impératif, aux personnes suivantes, se conjuguent comme les verbes au présent de l'indicatif.

| Présent | | Impératif |
|---------|------|-----------|
| tu | bois | bois |
| nous | allons | allons |
| vous | prenez | prenez |

   b) À la deuxième personne du singulier, les verbes finissant par **ES** au présent de l'indicatif, et le verbe *aller* perdent le **S** à l'impératif.

| | |
|---|---|
| tu mang**ES** | mang**E** |
| tu offr**ES** | offr**E** |
| tu ouvr**ES** | ouvr**E** |
| **tu vas** | **va** |

   c) Pour les verbes *être*, *avoir*, *savoir* et *vouloir*, l'impératif est une forme proche du subjonctif.

| Être | avoir | savoir | vouloir |
|------|-------|--------|---------|
| sois | aie | sache | veuille |
| soyons | ayons | sachons | veuillez |
| soyez | ayez | sachez | |

2. Place du pronom à l'impératif

| Forme affirmative | Forme négative | Forme négative (français oral familier) |
|-------------------|----------------|------------------------------------------|
| Parle-moi | Ne **me** parle pas | Parle-moi pas |
| Lève-toi | Ne **te** lève pas | Lève-toi pas |
| Parle-lui | Ne **lui** parle pas | Parle-lui pas |
| Invite-le | Ne **l'**invite pas | Invite-le pas |
| Prends-la | Ne **la** prends pas | Prends-la pas |
| Parle-nous | Ne **nous** parle pas | Parle-nous pas |
| Levez-vous | Ne **vous** levez pas | Levez-vous pas |
| Parlez-leur | Ne **leur** parlez pas | Parlez-leur pas |
| Écoutez-les | Ne **les** écoutez pas | Écoutez-les pas |

3. Impératif des verbes pronominaux
   Pour les verbes pronominaux, la personne du verbe coïncide avec la personne de son pronom.

   ***Exemple:***    Habille-toi             Offrez-vous
                        2e personne du singulier      2e personne du pluriel

**Objectifs grammaticaux**
- Impératif
- Forme affirmative

**Objectifs de communication**
- Exposer un problème.
- Proposer une solution.

# Problèmes et solutions

Dans la colonne de gauche, une personne énonce des problèmes. Dans la colonne de droite, une autre personne donne des conseils pour régler ces problèmes. Complétez les dialogues, soit en proposant une solution, soit en formulant un problème.

| | |
|---|---|
| **Exemple:** *J'ai raté le premier autobus.* | Prends le suivant. |
| 1. J'ai terriblement mal à la tête. | _____ de l'aspirine. |
| 2. _____ | Ne restez pas à la maison. |
| 3. Je suis triste, je vois tout en noir. | _____ |
| 4. J'ai mal au cou depuis quatre jours. | _____ |
| 5. _____ | Appelle-le. |
| 6. Je n'ai pas encore reçu mon billet. | _____ |
| 7. J'ai acheté un chandail et il y a un trou sur le côté. | _____ |
| 8. Mon chien ne veut pas manger. | _____ |
| 9. _____ | Attendez à demain. |
| 10. Un des tuyaux de la salle de bains fuit. | _____ |
| 11. _____ | Parlez d'abord à son directeur. |
| 12. Nous aurons besoin d'une voiture | _____ |
| 13. J'ai deux billets pour le théâtre, mais je ne peux pas y aller. | _____ |
| 14. _____ | Prête-leur ta voiture. |
| 15. Le temps est très mauvais. | _____ |

**Objectifs grammaticaux**

- Impératif
- Forme affirmative
- Mots servant à décrire les étapes d'une action:
  *d'abord, ensuite, finalement*

**Objectifs de communication**

- Suivre les étapes d'un mode d'emploi.
- Expliquer un mode d'emploi.

# 2 Modes d'emploi

Voici des illustrations qui correspondent aux modes d'emploi associés à certains produits. Complétez les énoncés à l'aide d'un verbe à l'impératif. Écrivez-les sous l'illustration appropriée.

## 1. *Supernettoyant Sinet*

a)_____ votre linge.

b)_____ la température de l'eau.

c)_____ une mesure de Sinet.

d)_____ Sinet à l'eau de lessive.

_____ _____ _____

## 2. *Soupe délicieuse 3 minutes*

a)_____ le contenu du sachet dans une casserole.

b)_____ graduellement 1 litre d'eau froide.

c)_____ sans arrêt.

d)_____ à ébullition en remuant.

e)_____ la chaleur du feu.

_____ _____ _____

## 3. GÉLATINE MINCEUR

a)_____ la poudre dans une tasse à mesurer.

b)_____ une tasse d'eau bouillante.

c)_____ jusqu'à dissolution de la poudre.

d)_____ une tasse d'eau froide.

_____ _____ _____

---

**Objectifs grammaticaux**
- Impératif
- Forme affirmative

**Objectif de communication**
- Expliquer les étapes d'un travail de bricolage.

# 3

# Le parfait bricolage

A. Voici trois projets de bricolage. Comment les réaliser? Vous trouverez dans l'encadré une liste de verbes qui décrivent des actions. Choisissez un verbe et utilisez-le à l'impératif pour préciser chaque étape différente des projets.

## 1. *Comment poser du papier peint*

une spatule
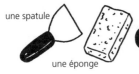
une éponge

un rouleau de papier peint

un ruban à mesurer
un stylet

> poser • tremper • couper • mesurer • appliquer une certaine pression • utiliser • mouiller • essuyer • enlever les bulles d'air

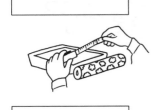 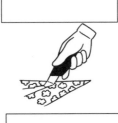  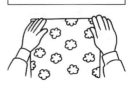

   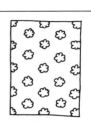

## 2. *Comment peinturer un mur*

un chiffon

> utiliser • découper • couvrir • passer • recommencer • attendre • faire • laisser • boucher • nettoyer • étendre

un pinceau

un rouleau
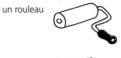

un contenant de peinture

 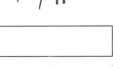    

du papier journal

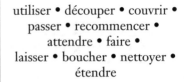

---

## 3. *Comment décaper un meuble*

passer • nettoyer • utiliser • attendre • appliquer • enlever • mettre

un grattoir

une bouteille de décapant

un chiffon

des gants

de l'huile à bois

B.   En groupes de deux, expliquez comment réaliser ces travaux. Utilisez des verbes à l'impératif.

C.   Vous savez sûrement faire d'autres travaux de bricolage. Dites lesquels et comment on les réalise.

**Objectifs grammaticaux**

- Impératif
- Forme affirmative
- Verbes marquant le déplacement: *tourner, arrêter, suivre, descendre, monter,* etc.

**Objectif de communication**

- Donner les indications relatives à un itinéraire.

# Trajets

1. Composez un dialogue qui a lieu entre deux jeunes. L'un demande son chemin, l'autre lui donne des indications à l'impératif, selon les informations contenues dans le plan. Les verbes et les noms ci-dessous vous aideront à composer le dialogue.

| | |
|---|---|
| suivre | le terrain de |
| arrêter | soccer |
| prendre | l'église |
| monter | le restaurant |
| descendre | le parc |
| aller | |
| tourner | |
| traverser | |
| continuer | |

A : _____

B : _____

A : _____

B : _____

_____

_____

_____

_____

2. Composez un dialogue qui a lieu entre deux personnes: une dame d'un certain âge et une jeune fille. La jeune fille explique un itinéraire à la dame, selon les informations contenues dans le plan.

_____

_____

_____

_____

_____

_____

_____

_____

_____

_____

_____

3. Vous invitez un ami à une fête. Comme vous venez de déménager, votre ami ne connaît pas votre nouvelle adresse, ni la façon de s'y rendre. Expliquez-lui le chemin, qu'il vienne en voiture ou en métro.

_____

_____

_____

_____

_____

_____

_____

_____

_____

_____

*Impératif*

**Objectifs grammaticaux**
- Impératif
- Formes affirmative et négative

**Objectif de communication**
- Composer des messages enregistrés.

# 5

# Messages téléphoniques

1. Complétez les messages téléphoniques suivants à l'aide de verbes à l'impératif.

   a) Bonjour, ici le Collège de Rivière-Ataska. Si vous connaissez le numéro de la personne à qui vous voulez parler, _____ immédiatement. Sinon, _____ en ligne. Une téléphoniste prendra votre appel. Merci.

   b) Bonjour, je ne suis pas à la maison. Alors, _____-moi un message et _____ de me laisser ton numéro de téléphone. Je te rappelle. Merci. À bientôt.

   c) Bonjour, toutes nos lignes sont présentement occupées. _____ en ligne afin de conserver votre priorité d'appel.

2. Composez des messages téléphoniques destinés aux clients des entreprises suivantes :

   a) le concessionnaire d'automobiles Autoplus ;

   _____

   _____

   _____

   b) le service des réparations de Téléphonie ;

   _____

   _____

   _____

   c) le traiteur Au bec fin.

   _____

   _____

   _____

**Objectifs grammaticaux**

- Impératif
- Forme affirmative
- Verbes pronominaux

**Objectif de communication**

- Composer des messages publicitaires.

# 6

# Messages publicitaires dans *La Presse*

Lisez l'annonce publicitaire suivante.

Soulignez les verbes à l'impératif.

**Achetez en toute tranquillité à Ville LaSalle**

## JARDIN DES ÉCLUSES
### CONDOS ET MAISONS DE VILLE

**Offre spéciale prévente :**
foyer inclus, garage inclus.
de 69 900 $ à 126 900 $

En face du canal Lachine.
Entouré de plusieurs parcs.
Autoroute 20, sortie LaSalle ;
suivez les panneaux de signalisation ;
direction 9961, rue Saint-Patrick Ouest.

**Appelez-nous au 333-6666.**

Complétez les messages publicitaires à l'aide des verbes de la liste ci-dessous conjugués à l'impératif.

déposer - voyager - voter - découvrir - sortir - réserver - acheter - vendre - courir - assister - profiter - admirer - choisir - publier - poster - remplir

1.

_____

*cet hiver avec VIA RAIL. De plus, PRIME SPÉCIALE*

_____

*votre billet avant le 15 avril.*

2. Si vous voulez louer votre logement,

_____

*une annonce dans La Presse. Vous aurez ainsi accès, chaque semaine, à 919 400 lecteurs.*

3. _____ CE COUPON DE PARTICIPATION ET

_____-LE DANS UNE DES boîtes à EXPO-NAUTIQUE OU

_____-LE À LA PRESSE, CONCOURS « EXPO-NAUTIQUE ».

4. _____

*parmi des centaines de styles et de motifs. Le Supercentre de la mode*
LINEN CHEST.

5. _____

pour vos artistes préférés et

_____

la chance de voir le gala MÉTROSTAR sur un téléviseur à écran géant SONY.

6. _____

de la *tempête d'aubaines* chez GE Direct.

7. _____

*au défilé de mode du Collège Lasalle et des créations OCÉANE.*

8. _____ LE PLUS BEAU VOILIER CONS-TRUIT SUR PLACE AVEC MOINS DE 100 $ DE MATÉRIAUX. _____ LES MILLE ET UN SECRETS D'UN PÊCHEUR PROFESSIONNEL.

9. _____ de l'ordinaire avec le cahier SORTIR du jeudi dans **La Presse**.

10. Marché aux puces.

de tout.

11. _____ tôt.

Rabais jusqu'à 200 $.

# 7 Messages publicitaires pour la radio

Lisez d'abord les publicités.

Devenez membre du
**CLUB DE RECETTES
EAGLE BRAND**
en composant le 1-800-333-8888,
et recevez gratuitement six
RECETTES EXPRESS
FACILES À PRÉPARER

Essayez le nouveau
**KERI**
à absorption rapide.
**ÉPARGNEZ 1,50 $**

Voici la description des produits dont vous avez à préparer la publicité pour la radio. D'après les renseignements donnés, créez des messages publicitaires susceptibles d'être entendus à la radio. Utilisez le plus de verbes à l'impératif possible, comme dans les publicités ci-dessus.

Description des produits

1.

voiture familiale
intéressantes réductions de printemps
belles couleurs
concessionnaire Aloteau
essais sur route gratuits
excellent taux d'intérêt

_____

_____

_____

_____

_____

_____

_____

_____

2. **VOYAGES EXOTOUR**

Les personnes intéressées peuvent consulter un agent d'Exotour.
Les prix des destinations européennes sont très intéressants.
Voyager dans un pays chaud pendant les mois d'hiver est toujours très agréable.
Les personnes intéressées peuvent s'offrir des vacances de rêve.
Les personnes intéressées peuvent payer l'année suivante.

_____

_____

_____

_____

_____

_____

_____

3. *Grand magasin La mine d'or*

**La Mine d'Or**

Ce magasin vend divers articles pour la maison.
Il y a en magasin un important choix d'articles de marques connues.
Présentement, le grand solde de saison est en cours.
D'importantes réductions sont offertes aux clients.
Les clients peuvent acquérir la carte de crédit « La mine d'or » qui donne droit à d'autres rabais en magasin.

_____

_____

_____

_____

_____

_____

*Impératif*

# Conseils

En utilisant des verbes à l'impératif aux formes affirmative ou négative, donnez des conseils à un ami d'après la situation. Les expressions de la colonne de droite guideront vos choix.

1. Malcolm va prendre l'avion pour la première fois.
   Il se sent un peu inquiet et il a peur.
   Donnez-lui quelques conseils, en suivant l'exemple :
   *Bois un whisky avant de monter à bord de l'avion.*

2. Votre ami part en vacances dans un pays chaud.
   Donnez-lui quelques conseils, en suivant l'exemple :
   *Apporte de la crème solaire.*

3. Votre ami part en vacances dans le Grand Nord
   pendant l'hiver.
   Donnez-lui quelques conseils, en suivant l'exemple :
   *N'oublie pas tes lunettes de soleil.*

4. Votre ami part en vacances en montagne.
   Il va faire du canot-camping.
   Donnez-lui quelques conseils, en suivant l'exemple :
   *Prends soin de garder tes allumettes au sec.*

— ne pas charger le sac à dos
— écouter de la musique classique
— faire attention
— être prudent
— apporter une lampe de poche
— apporter un coupe-vent
— boire de l'eau
— se détendre
— apporter des vêtements légers et des vêtements chauds
— ne pas marcher plus de 10 km par jour
— ne pas regarder par le hublot
— parler avec son compagnon de voyage
— avoir une carte en poche
— s'amuser
— se reposer
— aller à la plage
— ne pas s'inquiéter
— ne pas prendre de soleil entre 11 h et 15 h
— faire du conditionnement physique avant de partir
— apporter des tablettes de chocolat
— apporter de la lotion insecticide
— prendre un somnifère
— ne pas oublier sa carte de crédit
— ne pas apporter des choses inutiles
— lire un livre intéressant

*Impératif*

# Bonne nuit !

1. Lisez la liste des choses à faire pour bien dormir. Puis complétez la colonne de droite à l'aide de verbes à l'impératif à la forme négative ou affirmative.

## CHOSES À FAIRE POUR PASSER UNE BONNE NUIT

✓ Adoptez un horaire régulier. Couchez-vous et réveillez-vous à la même heure chaque jour.

✓ Faites de l'exercice régulièrement (le matin ou l'après-midi).

✓ Dotez-vous d'un lit confortable, dans une chambre sombre et tranquille.

✓ Si vous avez faim avant de vous coucher, prenez une collation légère (ou un verre de lait).

✓ Donnez-vous des moments de détente avant d'aller au lit.

✓ Utilisez votre chambre à coucher... pour dormir. Évitez d'y faire toute autre activité.

## Choses à éviter

1. _____ de boissons alcoolisées ni de médicaments comme sédatifs.

2. _____ d'exercice tard le soir.

3. _____ trop d'efforts pour vous endormir. (_____ un livre ou _____ la télévision jusqu'à ce que vous vous endormiez).

4. _____ de sieste pendant la journée.

5. _____ de gros repas avant de vous coucher et _____ au milieu de la nuit.

6. _____ de tabac ou de boissons contenant de la caféine quelques heures avant de vous coucher.

2. Donnez des conseils à quelqu'un qui a de la difficulté à se réveiller le matin.

| Choses à faire | Choses à éviter |
|---|---|
|  |  |
|  |  |
|  |  |
|  |  |
|  |  |
|  |  |

**Objectifs grammaticaux**

- Impératif
- Formes affirmative et négative

**Objectifs de communication**

- Donner des indications utiles.
- Donner des renseignements.

# 10

# Circulation automobile

À la radio, vous annoncez le bulletin de la circulation à l'heure de pointe. Vous êtes au micro. Pour donner des indications utiles aux automobilistes, utilisez des verbes à l'impératif. Inspirez-vous du plan de Montréal reproduit ci-dessous.

Voici des expressions qui pourraient vous aider :

Prenez...
Ne prenez pas...
Évitez...
Allez du côté de...
Sortez avant...
Circulez plutôt...
Attendez...
Ne restez pas...
Empruntez...
Choisissez...
Ralentissez...
Allumez vos
phares...
Soyez prudents...
Utilisez la voie
de droite...
Faites attention...

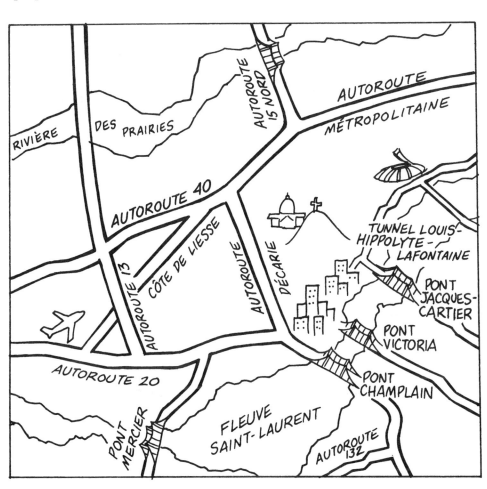

## Secteurs très achalandés

Autoroute Métropolitaine vers l'est.
Accident sur la voie de gauche de l'autoroute 15 sud.
Pont Champlain.
Autoroute Décarie sud : travaux d'asphaltage.
Autoroute 13 nord : carambolage. Voies de services dégagées.
Autoroute 132 : congestion.

## Secteurs à circulation fluide

Pont Victoria
Tunnel Louis-Hippolyte-Lafontaine
Autoroute 20  est et ouest
Autoroute Décarie sud
Côte-de-Liesse
Tunnel Ville-Marie dégagé dans les deux sens. Sortie Université fermée.

**Objectifs grammaticaux**

- Impératif
- Formes affirmative et négative
- Mots servant à décrire les étapes d'une action : *d'abord, ensuite, après, finalement, enfin,* etc.

**Objectif de communication**

- Donner des conseils.

# 11 Des vacances en toute sécurité

1. Vous travaillez dans une agence de voyages. Récemment, il y a eu plusieurs agressions contre des touristes en vacances dans le Sud. En remettant les billets, vous donnez des conseils de sécurité à vos clients.

   Voici la liste de ces conseils. Pour rendre vos suggestions plus convaincantes, utilisez des verbes à l'impératif.

   ### CHOSES À FAIRE

   1. *Éviter les endroits dangereux où il y a peu de gens.*
   2. *Toujours demeurer dans les foules.*
   3. *Demeurer dans des endroits éclairés.*
   4. *Verrouiller les portières de la voiture.*
   5. *Marcher sans hésitation, comme si vous connaissiez l'endroit où vous êtes.*
   6. *Faire attention aux simulations d'accidents.*
   7. *En cas de confrontation avec des criminels, klaxonner et crier pour attirer l'attention.*

   ### CHOSES À ÉVITER

   1. *En cas d'accident, descendre de la voiture pour discuter avec l'autre automobiliste.*
   2. *Montrer votre argent, vos bijoux, vos chèques de voyage.*
   3. *Circuler dans une voiture dont la plaque indique qu'il s'agit d'un véhicule en location.*
   4. *Accorder rapidement votre confiance à des inconnus.*
   5. *Vous promener seul dans un endroit isolé.*
   6. *Descendre de la voiture si vous faites une crevaison.*
   7. *Vous habiller avec ostentation.*

2. D'autres clients vont en voyage d'aventure dans le Grand Nord québécois. Donnez-leur des conseils en prévision d'un tel voyage.

   Vêtements: _____

   _____

   Nourriture: _____

   _____

   Sommeil: _____

   _____

   Conditionnement physique: _____

   _____

   Équipement: _____

   _____

**Objectifs grammaticaux**

- Impératif
- Formes affirmative et négative
- Pronoms compléments, *l'*, *le*, *la*, *les*

**Objectif de communication**

- Formuler des demandes informelles.

# 12 Demandes 1

Dans les courts dialogues qui suivent, on exprime des demandes. Complétez les blancs à l'aide de verbes à l'impératif. Ajoutez les pronoms compléments qu'il faut.

### Exemple :

- Bonjour, j'ai eu des problèmes de voiture hier. Est-ce que vous pourriez regarder ça assez vite ?
- **Apportez-la** durant l'avant-midi.

1. A. - Nous pouvons passer chez vous vers 11 heures pour laisser le paquet.
   B. - Je ne serai pas là. _____ entre les deux portes.

2. A. - Oui, allô.
   B. - Oui, c'est moi, Christine. Me rendrais-tu un petit service ? En sortant, _____ la pharmacie et _____ des comprimés d'aspirine.
   A. - Entendu.

3. A. - Dépanneur Boninuit bonjour.
   B. - C'est pour une commande. _____ un litre de lait écrémé.

4. A. - Ce soir, je n'arriverai pas avant 19 heures. Où est-ce que je peux te laisser la clé ?
   B. - _____ dans le pot, du côté droit de la porte d'entrée.

5. A. - Bon, nous serons de retour vers minuit. Le souper de Caroline est prêt. Alors, _____ à manger à 18 heures et demie et _____ vers 20 heures et demie. Si elle pleure, _____ un biberon. Ça devrait aller.
   B. - Très bien.

6. - Bonjour, vous êtes bien au 324-5643. S'il vous plaît, _____ votre message, nous vous rappellerons. Merci.

7. - Bonjour, je veux renouveler mon permis de conduire.
   - _____ un numéro et _____. On va vous appeler.
   - Merci.

8. - _____ au grand concours de Radio-Canada et _____ la chance de gagner un magnifique voyage à Tahiti. _____ à l'adresse suivante...

**Objectifs grammaticaux**

- Impératif
- Forme affirmative
- Pronoms *l'*, *le*, *la*, *les*

**Objectif de communication**

- Donner des directives.

# 13

## «Un» chauffeur de taxi bien particulier

A. Regardez la bande dessinée, puis complétez les bulles à l'aide de verbes à l'impératif. Jouez ensuite la scène en équipes de deux.

© Quino/Quipos

B. Imaginez que les deux personnages de cette bande dessinée ont 20 ans. Qu'est-ce que le chauffeur dit au client? Utilisez des verbes à l'impératif à la deuxième personne du singulier.

1. _____
2. _____
3. _____
4. _____
5. _____
6. _____
7. _____
8. _____
9. _____
10. _____

**Objectifs grammaticaux**
- Impératif
- Forme négative
- Pronoms *l'*, *le*, *la*, *les*

**Objectif de communication**
- Formuler des demandes informelles.

# 14 Demandes II

Complétez les phrases à l'aide de verbes à l'impératif et des pronoms *l'*, *le*, *la*, *les*.

1. Je vais te faire une confidence, mais _____ à personne.

2. Si tu mets le poulet au four, _____ pas cuire plus d'une heure, sinon il sera sec.

3. A. - Véronique, ton sac d'école et ton manteau s'il te plaît. _____ pas ici dans l'entrée !

   B. - Oui, maman, je vais les ramasser tout à l'heure.

4. A. - J'ai un ennui : mon grille-pain ne fonctionne plus.

   B. - Si tu essaies de le réparer, _____ avant d'y toucher.

   A. - D'accord, je vais le débrancher.

5. A. - Il commence à neiger et ta bicyclette est dans la cour.

   B. - Oui, j'ai oublié _____.

   A. - _____ pas dehors. Elle va rouiller.

   B. - Tu as raison, j'y vais.

6. Bonjour, ici le garage Plateau mécanique. Nous avons commandé un phare pour une voiture japonaise. Nous n'avons plus besoin de la pièce alors, _____ pas.

---

- Impératif
- Forme affirmative
- Auxiliaire *devoir* + infinitif

# Tableau I

Complétez les séries à l'aide d'un verbe au présent (première colonne), à l'impératif (deuxième colonne) ou avec l'auxiliaire *devoir* + infinitif (troisième colonne), comme dans l'exemple.

| Présent | Impératif | Devoir + infinitif |
|---|---|---|
| *Exemple:* Tu traverses | traverse | tu dois traverser |
| 1. Vous allez | | |
| 2. | monte | |
| 3. | | tu dois regarder |
| 4. | essayez | |
| 5. Tu descends | | |
| 6. | | vous devez faire |
| 7. | tournez | |
| 8. Tu prends | | |
| 9. | | tu dois arrêter |
| 10. | | vous devez attendre |
| 11. | va | |
| 12. Vous écoutez | | |
| 13. | cherche | |
| 14. | | tu dois venir |

- Impératif
- Formes affirmative et négative

# Tableau 2

Complétez le tableau à l'aide d'un verbe à l'impératif soit à la forme affirmative, soit à la forme négative, comme dans l'exemple.

| Forme affirmative | Forme négative |
|---|---|
| *Exemple :* Venez. | Ne venez pas. |
| 1. Fais ce travail. | |
| 2. | Ne bois pas. |
| 3. Ajoute les dernières corrections. | |
| 4. | Ne parlez pas. |
| 5. Donne ton opinion. | |
| 6. | Ne prends pas la voiture. |
| 7. Achète cette toile. | |
| 8. | N'arrivez pas avant 10 heures. |
| 9. Essayez cette robe. | |
| 10. | N'écoute pas. |
| 11. | N'intervenez pas. |
| 12. Assistez à la réunion. | |
| 13. | Ne le demandez pas. |
| 14. Lis cette information. | |

 *Impératif*

- Impératif
- Verbe à l'impératif + complément

# Tableau 3

Associez un élément de la colonne de gauche à un élément de la colonne de droite. Écrivez dans la colonne du centre le message ainsi obtenu.

| *Exemple:* Attendez | Attendez ici. | ici |
|---|---|---|
| 1.  Suivez | | dans ce quartier |
| 2.  Écoutez | | un peu de sel |
| 3.  Apporte | | le guide |
| 4.  Louez | | les informations |
| 5.  Fais | | la porte |
| 6.  Achète | | les indications |
| 7.  Ajoute | | là |
| 8.  Laissez | | la vaisselle |
| 9.  Lis | | au bout de la rue |
| 10.  Assoyez-vous | | le paquet sur le bureau |
| 11.  Note | | ton dîner |
| 12.  Arrête | | le journal |
| 13.  Respectez | | son numéro |
| 14.  Ferme | | la maison |

**Tableau d'entraînement**
- Impératif
- Formes affirmative et négative
- Pronoms *l'*, *le*, *la*, *les*, *lui*, *moi*, *vous*
- Registres du français oral familier

# Tableau 4

Complétez le tableau à l'aide d'un verbe à l'impératif soit à la forme affirmative, soit à la forme négative du français oral familier, comme dans l'exemple.

| Forme affirmative | Forme négative Registre du français oral familier | Forme négative Registre du français standard |
|---|---|---|
| *Exemple :* Fais-le. | Fais-le pas. | |
| 1. Écoute-moi. | | |
| 2. | Dis-le pas. | |
| 3. Ajoutez-le. | | |
| 4. | | Ne vous assoyez pas. |
| 5. | | Ne les écrivez pas. |
| 6. | Demande-moi pas. | |
| 7. Attendez-moi. | | |
| 8. Arrête-le. | | |
| 9. | Laissez-le pas. | |
| 10. Quitte-la. | | |
| 11. | | Ne lui explique pas. |
| 12. | Lâchez-les pas. | |
| 13. Taquine-moi. | | |
| 14. | Regardez-moi pas. | |

- Impératif
- Forme affirmative
- Différents compléments

# Tableau 5

Attribuez à chaque verbe deux éléments qui servent de compléments. Choisissez-les dans la colonne de droite, comme dans l'exemple.

| *Exemple :* | | | |
|---|---|---|---|
| Répondez | rapidement. | Répondez | ce que vous voulez. | de l'eau |

| | | | | |
|---|---|---|---|---|
| 1. conduisez | _____ . | conduisez | _____ . | des fruits |
| 2. sois | _____ . | sois | _____ . | de là |
| 3. attendez | _____ . | attendez | _____ . | ici |
| 4. faites | _____ . | faites | _____ . | le temps |
| 5. ajoute | _____ . | ajoute | _____ . | rapidement |
| 6. achetez | _____ . | achetez | _____ . | cet appartement |
| 7. ayez | _____ . | ayez | _____ . | de la guitare |
| 8. tournez | _____ . | tournez | _____ . | ce que vous voulez |
| 9. sors | _____ . | sors | _____ . | sérieux, sérieuse |
| 10. prenez | _____ . | prenez | _____ . | le repas |
| 11. entre | _____ . | entre | _____ . | prudemment |
| 12. venez | _____ . | venez | _____ . | confiance |
| 13. jouez | _____ . | jouez | _____ . | -moi |
| 14. allumez | _____ . | allumez | _____ . | la vaisselle |

lentement

avec moi

gentil, gentille

tout de suite

du courage

du sel

la lumière

moins fort

- Impératif
- Forme affirmative
- Différents compléments

# Tableau 6

Trouvez deux verbes à l'impératif pour chaque complément de la colonne de droite. Suivez l'exemple.

| *Exemple : a)* Appelle le matin. | *b)* Pars le matin. | |
|---|---|---|
| 1. a) _____ | b) _____ | le chocolat |
| 2. a) _____ | b) _____ | une histoire |
| 3. a) _____ | b) _____ | ma voisine |
| 4. a) _____ | b) _____ | à 15 heures |
| 5. a) _____ | b) _____ | immédiatement |
| 6. a) _____ | b) _____ | près d'ici |
| 7. a) _____ | b) _____ | cet après-midi |
| 8. a) _____ | b) _____ | 10 dollars |
| 9. a) _____ | b) _____ | la tasse de thé |
| 10. a) _____ | b) _____ | le plus tôt possible |
| 11. a) _____ | b) _____ | l'enveloppe |
| 12. a) _____ | b) _____ | celui-là |
| 13. a) _____ | b) _____ | les plantes |
| 14. a) _____ | b) _____ | avec Nicole |
| 15. a) _____ | b) _____ | **le matin** |
| 16. a) _____ | b) _____ | à l'heure |
| 17. a) _____ | b) _____ | là |
| 18. a) _____ | b) _____ | debout |
| 19. a) _____ | b) _____ | les feuilles |
| 20. a) _____ | b) _____ | l'autobus |

*Impératif*

- Impératif
- Forme affirmative
- Différentes terminaisons

# Tableau 7

Classez les verbes ci-dessous en autant de groupes possibles. Pour les classer, vous pouvez choisir des critères tels que la terminaison, la conjugaison, la personne ou la prononciation.

| | | | | | |
|---|---|---|---|---|---|
| répondez | dites | allez | faites | dis | ajoute |
| attendez | fais | mange | étudie | venez | prends |
| distribue | sors | tournez | tiens | travaille | entre |
| copie | prenez | servez | traversez | vendez | joue |
| pars | arrête | imagine | lisez | éteins | videz |
| conduisez | peins | regarde | achetez | dors | traduisez |
| défendez | écris | viens | écoute | sois | ayez |
| écrivez | loue | soyez | allumez | chante | sortez |

_____

_____

_____

_____

_____

_____

_____

_____

_____

_____

**34**

*Impératif*

# 2

## Adjectif qualificatif

### Table des matières

| Page | Activités | Objectifs grammaticaux | Objectifs de communication |
|------|-----------|------------------------|----------------------------|
| 40 | 1. Location d'un appartement | Adjectifs qualificatifs<br>Nom | Décrire un appartement. |
| 41 | 2. Choix d'une maison | Adjectifs qualificatifs combinés<br>*beau petit*, *tout petit*, *belle grande*, etc. | Décrire une maison. |
| 43 | 3. Projets de rénovation | Adjectifs qualificatifs<br>*nouveau, nouvelle, nouvel, vieux, vieille, vieil, beau, belle, neuf, neuve*<br>Nom | Décrire une maison. |
| 44 | 4. Portraits-robots | Adjectifs qualificatifs<br><br>Genre | Décrire une personne par ses traits physiques. |
| 45 | 5. Personnages | Adjectifs qualificatifs<br><br>Genre | Décrire une personne par ses traits de caractère et par ses traits physiques. |
| 46 | 6. Coup de foudre | Adjectifs qualificatifs<br><br>Genre | Décrire une personne par ses traits de caractère et par ses traits physiques. |
| 47 | 7. Définitions | Adjectifs qualificatifs<br><br>Genre | Décrire une personne par ses traits de caractère. |
| 48 | 8. Objets et métiers | Adjectifs qualificatifs<br><br>Genre et nombre | Décrire un objet et un métier. |
| 49 | 9. Carrières et professions | Adjectifs qualificatifs<br><br>Nom | Décrire un candidat ou une candidate à un poste. |
| 51 | 10. Le marché du travail | Adjectifs qualificatifs<br><br><br>Genre et nombre | Décrire un candidat ou une candidate, un poste, une entreprise. |
| 53 | 11. Le candidat idéal, la candidate idéale. Profils. | Adjectifs qualificatifs<br><br>Genre | Décrire un candidat, une candidate à un poste. |

## Tableaux d'entraînement

# Tableau grammatical

## A. Adjectifs qualificatifs

*Variation en genre selon le genre du nom qualifié*
*Groupes d'adjectifs qualificatifs et changement de genre*

### 1. Forme identique au masculin et au féminin

| | |
|---|---|
| aimable | rouge |
| agréable | orange |
| stable | mauve |
| fiable | jaune |
| sociable | bête |
| négociable | jeune |
| sécuritaire | drôle |
| moderne | superbe |
| propre | sincère |
| sale | honnête |
| autonome | mince |
| fidèle | calme |
| tranquille | magnifique |
| célèbre | facile |

### 2.

| -IF -EUF | -IVE -EUVE |
|---|---|
| créatif | créative |
| sportif | sportive |
| agressif | agressive |
| actif | active |
| maladif | maladive |
| craintif | craintive |
| neuf | neuve |
| veuf | veuve |

### 3.

| -EUX -EUR | -EUSE -EUSE |
|---|---|
| lumineux | lumineuse |
| ambitieux | ambitieuse |
| affectueux | affectueuse |
| talentueux | talentueuse |
| luxueux | luxueuse |
| prétentieux | prétentieuse |
| spacieux | spacieuse |
| généreux | généreuse |
| sérieux | sérieuse |
| paresseux | paresseuse |
| tricheur | tricheuse |
| menteur | menteuse |

### 4.

| -EUR | -EURE |
|---|---|
| antérieur | antérieure |
| supérieur | supérieure |
| meilleur | meilleure |
| majeur | majeure |
| inférieur | inférieure |

### 5.

| -EL -IL | -ELLE -ILLE |
|---|---|
| sensuel | sensuelle |
| résidentiel | résidentielle |
| essentiel | essentielle |
| occasionnel | occasionnelle |
| ponctuel | ponctuelle |
| partiel | partielle |
| superficiel | superficielle |
| usuel | usuelle |
| gentil | gentille |

### 6. a)

| -IEN | -IENNE |
|---|---|
| ancien | ancienne |
| aérien | aérienne |
| canadien | canadienne |
| quotidien | quotidienne |

### 6. b)

| -ON | -ONNE |
|---|---|
| bon | bonne |
| mignon | mignonne |

### 7.

| -I -É | -IE -ÉE |
|---|---|
| poli | polie |
| joli | jolie |
| raffiné | raffinée |
| déterminé | déterminée |
| ensoleillé | ensoleillée |
| rénové | rénovée |
| équilibré | équilibrée |

### 8.

| -IER -ER | -IÈRE -ÈRE |
|---|---|
| aventurier | aventurière |
| dépensier | dépensière |
| entier | entière |
| fier | fière |
| premier | première |
| dernier | dernière |
| familier | familière |
| grossier | grossière |
| policier | policière |
| léger | légère |
| étranger | étrangère |
| passager | passagère |

9.

| -ET | -ÈTE / -ETTE |
|---|---|
| discret | discrète |
| inquiet | inquiète |
| complet | complète |
| secret | secrète |
| coquet | coquette |
| rondelet | rondelette |
| muet | muette |

10.

| -C | -CHE |
|---|---|
| blanc | blanche |
| franc | franche |
| sec | sèche |

11.

| Consonne finale | Consonne finale + E | | Consonne finale | Consonne finale + E |
|---|---|---|---|---|
| **(d)** grand | grande | **(l)** | banal | banale |
| laid | laide | | brutal | brutale |
| bavard | bavarde | | normal | normale |
| chaud | chaude | | général | générale |
| froid | froide | | génial | géniale |
| | | | légal | légale |
| **(t)** élégant | élégante | | loyal | loyale |
| ignorant | ignorante | **(n)** | certain | certaine |
| vert | verte | | hautain | hautaine |
| court | courte | | serein | sereine |
| arrogant | arrogante | | urbain | urbaine |
| bruyant | bruyante | | africain | africaine |
| gratuit | gratuite | | humain | humaine |
| délicat | délicate | | féminin | féminine |
| prêt | prête | | fin | fine |
| | | | aucun | aucune |
| **(s)** mauvais | mauvaise | | opportun | opportune |
| gris | grise | **(r)** | noir | noire |
| confus | confuse | | clair | claire |
| portugais | portugaise | | dur | dure |
| polonais | polonaise | | sûr | sûre |

12.

| Autres formes | |
|---|---|
| beau (bel) | belle |
| nouveau (nouvel) | nouvelle |
| vieux (vieil) | vieille |
| fou (fol) | folle |
| mou (mou) | molle |

13. **Cas particuliers**

| | | | | | |
|---|---|---|---|---|---|
| gras | grasse | frais | fraîche | faux | fausse |
| bas | basse | turc | turque | roux | rousse |
| gros | grosse | grec | grecque | jaloux | jalouse |
| long | longue | doux | douce | | |

*Adjectif qualificatif*

# B. Description d'une personne

1.

| Traits physiques | | Cheveux | Yeux |
|---|---|---|---|
| grand | grande | blancs | verts |
| petit | petite | gris | noirs |
| gros | grosse | noirs | amande |
| mince | mince | roux | gris |
| maigre | maigre | châtains | bleus |
| beau | belle | frisés | bruns |
| joli | jolie | raides | |
| laid | laide | courts | |
| vieux | vieille | longs | |
| jeune | jeune | blonds | |

2. **Traits de personnalité**

| Positifs | | | Négatifs | |
|---|---|---|---|---|
| brillant | sincère | aimable | hypocrite | superficiel |
| déterminé | fidèle | poli | paresseux | impoli |
| honnête | loyal | tenace | prétentieux | tricheur |
| plaisant | fiable | autonome | menteur | instable |
| courageux | persévérant | sympathique | tricheur | imprudent |
| attentionné | affectueux | discipliné | avare | indiscipliné |
| tolérant | chaleureux | dynamique | méfiant | méchant |
| cultivé | gentil | discret | ignorant | indiscret |
| | | | | manipulateur |

# C. Description d'un objet

**Vêtement** • propre, sale, court, long, petit, grand, serré, ample, sobre, élégant, sportif, habillé, usé, déchiré, troué, voyant, seyant, ajusté, chic, léger, chaud, confortable

**Aliment** • bon, mauvais, amer, acide, sucré, piquant, épicé, succulent, copieux, cru, cuit, délicieux, exquis, exotique, juteux, sec, appétissant

**Lit** • moelleux, ferme, doux, grand, petit, douillet

**Voiture** • confortable, fiable, sécuritaire, économique, sportive, classique, performante, grande, petite, spacieuse, neuve, vieille, usagée, accidentée

**Moyen de transport** • efficace, rapide, lent, sécuritaire, dangereux, économique, pratique, cher

**Description d'une ville** • tranquille, sécuritaire, paisible, romantique, calme, dangereuse, violente, vivante, colorée, trépidante, propre, sale, ennuyante, amusante, laide, sobre, belle, magnifique, exotique, énorme, moderne, vieille, ancienne, polluée, animée

**Description d'une maison, d'un quartier** • grande, spacieuse, petite, minuscule, accueillante, froide, ensoleillée, sombre, propre, sale, isolée, haute, rénovée, moderne, confortable, luxueuse central, résidentiel, calme, paisible, huppé, cossu, défavorisé, dangereux, tranquille

**Description d'un animal** • doux, docile, affectueux, indépendant, agressif, beau, poilu, gentil

**Description d'une situation** • C'est ... drôle, dommage, amusant, bête, grave, beau, fort, dangereux, long, fatigant, fou, inacceptable, désagréable, agréable, effrayant, formidable, ennuyant, renversant, curieux, épuisant, spécial, intéressant, triste, malheureux, inhumain, exigeant, horrible, stupide, désolant, surprenant, étonnant, superbe, «chouette».

## Objectifs grammaticaux
- Adjectifs qualificatifs
- Nom

## Objectif de communication
- Décrire un appartement.

# *1* Location d'un appartement

Regardez les logis suivants. Dites lequel convient à chaque ménage et pourquoi. En équipes, décrivez chaque appartement de façon détaillée à l'aide des adjectifs proposés dans l'encadré au bas de la page.

A.

### 3½, CHAUFFÉ : 350 $/mois

B.

### 4½, CHAUFFÉ : 700 $/mois

C.

### 3½, NON CHAUFFÉ : 500 $/mois

D.

### 4½, CHAUFFÉ : 700 $/mois

Les ménages :
- une vieille dame qui habite seule
- une famille de quatre : la mère, le père, deux jeunes enfants
- un étudiant à l'université
- un couple dans la quarantaine, sans enfants

| | | | | | |
|---|---|---|---|---|---|
| spacieux/spacieuses | bruyant/bruyante | propre | lumineux/lumineuse | calme | sécuritaire |
| grand/grande | tranquille | sale | chauffé/chauffée | petit/petite | cher/chère |
| ensoleillé/ensoleillée | équipé/équipée | vieux/vieille | insonorisé/insonorisée | frais peinte/fraîche peinte | luxueux/luxueuse |
| intérieur/intérieure | rénové/rénovée | neuf/neuve | dangereux/dangereuse | résidentiel/résidentielle | moderne |

*Adjectif qualificatif*

**Objectifs grammaticaux**

- Adjectifs qualificatifs
- Adjectifs qualificatifs combinés *beau petit, tout petit, belle grande*, etc.

**Objectif de communication**

- Décrire une maison.

# 2 Choix d'une maison

A. Regardez les trois images de maisons. En équipes, discutez des avantages et des désavantages associés à chacune. Utilisez les structures et adjectifs qualificatifs ci-dessous pour décrire ces logis.

## 1. *Structures*

| | |
|---|---|
| tout / très petit | jardin |
| | espace de rangement |
| toute / très petite | cuisine |
| | fenêtre |
| belle / très grande | cour |
| | chambre |
| | armoire |
| beau / très grand | jardin |
| | garage |
| beau / très petit | jardin |
| | salon |
| bien trop | cher |
| | grand |
| | petit |

## 2. *Adjectifs qualificatifs*

| | | |
|---|---|---|
| une/ la | cuisine | immense |
| des / les | chambres | grand, grande |
| une/ la | salle de bain | petit, petite |
| des / les | armoires de cuisine | ancien, ancienne |
| un / le | balcon | éclairé, éclairée |
| un / le | garage | minuscule |
| des / les | pièces | tranquille |
| des / les | fenêtres | confortable |
| un / le | quartier | spacieux, spacieuse |
| des / les | voisins | vieux, vieille |
| un / l' | espace de rangement | moderne |
| des / les | portes | neuf, neuve |
| une / la | cour | rénové, rénovée |
| un / le | jardin | refait, refaite |

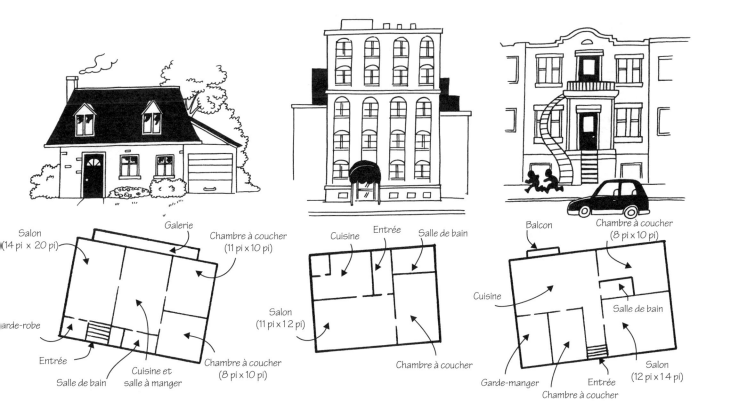

Salon (14 pi x 20 pi)
Galerie
Chambre à coucher (11 pi x 10 pi)
Garde-robe
Entrée
Salle de bain
Cuisine et salle à manger
Chambre à coucher (8 pi x 10 pi)

Cuisine
Entrée
Salle de bain
Salon (11 pi x 12 pi)
Chambre à coucher

Balcon
Chambre à coucher (8 pi x 10 pi)
Cuisine
Salle de bain
Salon (12 pi x 14 pi)
Garde-manger
Entrée
Chambre à coucher

*Adjectif qualificatif*

B. Écrivez une lettre à un ami ou à une amie pour lui annoncer que vous venez d'acheter une maison. Dans la lettre, décrivez votre maison de façon détaillée.

le

st

(Québec)

H2J 1G6

Canada

42

*Adjectif qualificatif*

**Objectifs grammaticaux**
- Adjectifs qualificatifs (*nouveau, nouvelle, nouvel, vieux, vieil, vieille, beau, belle, neuf, neuve*)
- Nom

**Objectif de communication**
- Décrire une maison.

# 3

## Projets de rénovation

Voici trois projets de rénovation pour trois pièces d'une grande maison. En équipes, décrivez chacune des pièces avant et après la rénovation. Utilisez, entre autres, les adjectifs suivants.

vieux, vieil, vieille, neuf, nouvel, neuve, nouveau, nouvelle, beau, belle, beaux

1.

2.

3.

# Portraits-robots

À partir des illustrations ci-dessous, construisez quatre personnages, puis décrivez-les. Présentez vos créations à la classe.

**Objectifs grammaticaux**
- Adjectifs qualificatifs
- Genre

**Objectif de communication**
- Décrire une personne par ses traits de caractère et par ses traits physiques.

# 5

# Personnages

Décrivez les personnes suivantes. Donnez leur description physique aussi bien que leurs traits de caractère. Travaillez en équipes en décrivant les personnages à tour de rôle. Référez-vous au tableau grammatical, page 41.

**Objectifs grammaticaux**
- Adjectifs qualificatifs
- Genre

**Objectif de communication**
- Décrire une personne par ses traits de caractère et par ses traits physiques.

# 6

# Coup de foudre

Voici quelques annonces de gens qui recherchent un ou une partenaire. Complétez les phrases en ajoutant une terminaison aux adjectifs.

1. Marco, trentaine, professio_____, cherche femme discr_____, tend_____ et intelligen_____ pour relation sérieu_____.

2. Indépendan_____ et honnê_____, cherche jeun_____ femme jol_____, passionn_____ et autonom_____ pour amitié et plus.

3. Homme sport_____ et en bon_____ forme cherche femme francopho_____, fidè_____, non fumeu_____.

4. Charman_____ et joli_____, cherche homme chaleureu_____ et dou_____, but sérieu_____.

5. Acti_____ et détermin_____, cherche homme gran_____, minc_____, affectu_____ et dynami_____ pour voyager et partager les belles choses de la vie.

6. Grand_____, sporti_____, svelt_____, blon_____ aux yeux bleu_____, cherche partenaire masculi_____, distingu____, non fumeu_____ attentionn_____, pour relation à long terme.

7. Lise, 50 ans, enjou_____, sens de l'humour, cherche homme bien dans sa peau, élégan____, instrui_____, sensue_____ pour relation stabl_____.

8. Jean-Luc, semi-retrait_____, sociabl_____, libr_____ cherche femme avec affinités, débrouillard_____, cultiv_____ et romantiqu_____ pour rencontres occasionnel_____.

9. Lucia, 40 ans, pétillan_____ et sourian_____, cherche homme simpl____ et autonom_____ pour amitié.

10. Créati_____ et intéressan_____, cherche compagnon communicati____, drôl____, raffin_____, pour partager activités.

**Objectifs grammaticaux**
- Adjectifs qualificatifs
- Genre

**Objectif de communication**
- Décrire une personne par ses traits de caractère.

# 7 Définitions

En équipes, trouvez un adjectif qualificatif qui correspond à la description, comme dans l'exeme.

| Description | Adjectif qualificatif |
|---|---|
| ***Exemple:*** <br> **Une femme qui se prend pour quelqu'un d'autre est...** | prétentieuse. |
| 1. Une femme qui fait des crises de nerfs est... | |
| 2. Un homme qui se fâche promptement est... | |
| 3. Un homme qui ne salue pas les autres est... | |
| 4. Une femme qui se lève de table avant tout le monde est... | |
| 5. Un homme qui n'a pas de chance est... | |
| 6. Une femme qui triche est... | |
| 7. Un homme qui ment est... | |
| 8. Une femme qui veut toujours avoir plus est... | |
| 9. Un homme qui ne laisse jamais les choses à leur place est... | |
| 10. Une femme qui n'oublie pas facilement les mauvais coups que les autres lui font est... | |
| 11. Une personne qui aime passer du temps toute seule est... | |
| 12. Une personne qui ne fait pas confiance aux autres... | |
| 13. Une personne qui n'a pas beaucoup d'expérience... | |
| 14. Une personne qui ne dépend pas des autres... | |
| 15. Un homme qui ne respecte pas les vœux du mariage est... | |
| 16. Une jeune fille qui se plaint continuellement est... | |
| 17. Un bébé qui pleure tout le temps est... | |
| 18. Un patron qui exige beaucoup de ses employés est... | |
| 19. Un jeune homme qui fait des blagues continuellement est... | |
| 20. Un homme qui n'aime pas travailler est... | |

**Objectifs grammaticaux**
- Adjectifs qualificatifs
- Genre et nombre

**Objectif de communication**
- Décrire un objet et un métier.

# Objets et métiers

À l'aide d'adjectifs qualificatifs, donnez trois qualités à chacun des objets suivants, comme dans l'exemple. Référez-vous au tableau grammatical, page 39.

## OBJETS

| | |
|---|---|
| *Exemple :* **une voiture** | **rapide, économique, confortable** |
| 1. une soupe | |
| 2. une ville | |
| 3. un matelas | |
| 4. une bicyclette | |
| 5. une nappe | |
| 6. un imperméable | |
| 7. un livre | |
| 8. un film | |
| 9. des bottes d'hiver | |

À l'aide d'adjectifs qualificatifs, donnez trois qualités à chacune des personnes qui exercent les métiers suivants, comme dans l'exemple.

## MÉTIERS

| | |
|---|---|
| *Exemple:* **un infirmier** | **patient, disponible, doux** |
| 1. un vendeur de voitures | |
| 2. un policier | |
| 3. une ingénieure | |
| 4. un professeur | |
| 5. une secrétaire | |
| 6. une comptable | |
| 7. une vedette de cinéma | |
| 8. un dessinateur | |
| 9. un écrivain | |

**Objectifs grammaticaux**
- Adjectifs qualificatifs
- Noms

**Objectif de communication**
- Décrire un candidat ou une candidate à un poste.

# Carrières et professions

1. Complétez les offres* d'emploi ci-dessous à l'aide des adjectifs proposés dans l'encadré.

   * D'après *La Presse* du 7 septembre 1996.

> stimulant, bonne, naturelle, sociaux, humaines, adjoint, concurrentielle, sélectionnées, minimale, haute, axée, international, priées, administratif, principaux, intéressées, dynamique, bilingue, importante, excellentes

---

## A. DIRECTEUR ADMINISTRATIF ADJOINT

Un important distributeur de vidéocassettes et d'accessoires vidéo est à la recherche d'un directeur _____.

**XYZ Vidéo offre**

– Un milieu de travail _____.

– Un régime d'avantages _____ attrayant.

– Un parti pris pour un service à la clientèle

   de la plus _____ qualité.

– Une gestion _____ sur la valeur des ressources _____.

---

## B. CONSEILLER OU CONSEILLÈRE EN LOCATION D'AUTOMOBILES À LONG TERME

Une _____ compagnie de location à long terme est à la recherche d'un conseiller ou d'une conseillère avec expérience pour son bureau de Laval. Vous êtes une personne _____, _____, aimant travailler en équipe.

Votre enthousiasme et votre aptitude _____ pour la vente sont vos _____ atouts.

Veuillez envoyer votre C. V. et votre lettre d'introduction, en toute confidentialité à l'attention de Madeleine Roy au : 2999, boulevard du Rond-Point, Brossard (Québec) J4W 2X7

---

*Adjectif qualificatif*

**ACME**
**AGENTS EN DOUANE LTÉE**

Notre entreprise, l'un des chefs de file dans le domaine du courtage en douane et du transport _____, désire s'adjoindre les services d'un représentant ou d'une représentante. _____, vous possédez une expérience _____ de trois années dans la vente de services et avez acquis une _____ connaissance du domaine du courtage en douane et / ou du transport _____. Vous visez des résultats, avez l'esprit d'équipe et démontrez d'_____ aptitudes en communication.

Nous offrons une rémunération _____ ainsi qu'une gamme complète d'avantages _____.

Les personnes _____ sont _____ de faire parvenir leur curriculum vitæ à :

ACME, Agents en douane limitée

Service des ressources _____

1000, rue des Saisies
Lacolle (Québec)
J2Y 1A5

## CONSEILS PRATIQUES POUR RÉDIGER SON CV

1. Soyez concis. Écrivez l'essentiel.
2. Utilisez un style uniforme.
3. Parlez de vos réalisations.
4. Mentionnez toutes vos expériences reliées au poste convoité (y compris le travail bénévole).
5. Faites relire votre CV afin d'en corriger les fautes d'orthographe.
6. Utilisez une bonne qualité de papier.
7. Joignez au CV une lettre d'introduction adressée à une personne précise.

Il n'est pas toujours souhaitable de dévoiler son âge...

**Objectifs grammaticaux**

- Adjectifs qualificatifs
- Genre et nombre

**Objectif de communication**

- Décrire un candidat ou une candidate, un poste, une entreprise.

# *10* Le marché du travail

Complétez le plus de cases possible dans les tableaux ci-dessous en choisissant des adjectifs qualificatifs dans la liste suivante.

compétitif, compétitive, compétitifs, compétitives
excellent, excellente, excellents, excellentes
généreux, généreuse, généreuses
chevronné, chevronnée, chevronnés, chevronnées
qualitatif, qualitative, qualitatifs, qualitatives
inventif, inventive, inventifs, inventives
créatif, créative, créatifs, créatives
pertinent, pertinente, pertinents, pertinentes
international, internationale, internationaux, internationales
local, locale, locaux, locales
avantageux, avantageuse, avantageuses
exigeant, exigeante, exigeants, exigeantes
confus, confuse, confuses
brillant, brillante, brillants, brillantes
débrouillard, débrouillarde, débrouillards, débrouillardes

humain, humaine, humains, humaines
compétent, compétente, compétents, compétentes
éclairé, éclairée, éclairés, éclairées
exceptionnel, exceptionnelle, exceptionnels, exceptionnelles
précis, précise, précises
transparent, transparente, transparents, transparentes
constant, constante, constants, constantes
polyvalent, polyvalente, polyvalents, polyvalentes
requis, requise, requises
soutenu, soutenue, soutenus, soutenues
intéressant, intéressante, intéressants, intéressantes
canadien, canadienne, canadiens, canadiennes
québécois, québécoise, québécoises
motivé, motivée, motivés, motivées
majeur, majeure, majeurs, majeures
prometteur, prometteuse, prometteurs, prometteuses.

## Féminin singulier

|  | -ive | -euse | -Te/-re/-de/-se/-ne | voyelle finale + e | -le |
|---|---|---|---|---|---|
| une expérience |  |  |  |  |  |
| une secrétaire |  |  |  | expérimentée |  |
| une firme |  |  |  |  |  |
| une candidate |  | talentueuse |  |  |  |
| une carrière |  |  |  |  |  |

## Masculin singulier

| | -if | -eur/-eux | -t/-d/-s/-n/-r | voyelle finale | -l |
|---|---|---|---|---|---|
| un projet | | | | | |
| un investissement | | | | | |
| un défi | | | | | |
| un directeur | | | | | |
| un marché | | prometteur | | | |

## Féminin pluriel

| | -ives | -euses | -les/-res/-des/-ses/-nes | voyelle finale + es | -les |
|---|---|---|---|---|---|
| des carrières | | | | | |
| des secrétaires | | | | | |
| des entreprises | | | | | |

## Masculin pluriel

| | -ifs | -eurs/-eux | -ts/-rs/-ds/-s/-ns | voyelle finale + s | -aux |
|---|---|---|---|---|---|
| des services | | | | | |
| des marchés | | | | | |
| des défis | | | | | |

**Objectifs grammaticaux**
- Adjectifs qualificatifs
- Genre

**Objectif de communication**
- Décrire un candidat, une candidate à un poste.

# *11* Le candidat idéal, la candidate idéale

Deux à deux, jouez une scène entre un employeur et un candidat ou une candidate. L'employeur pose les questions suivantes et prend des notes. Le candidat ou la candidate répond.

## Questions de l'employeur

1. Combien d'années d'expérience avez-vous ?
2. Votre patron s'absente une semaine sans vous prévenir. Que faites-vous ?
3. Déménageriez-vous si c'était nécessaire ?
4. Seriez-vous prêt à voyager ?
5. Seriez-vous prêt à travailler les fins de semaine ?
6. Combien de langues parlez-vous ?
7. Que pensez-vous du travail en équipe ?
8. Que pensez-vous de la ponctualité ?
9. Seriez-vous prêt à remplacer un collègue absent même si son travail n'était pas identique au vôtre ?
10. Qu'attendez-vous de notre compagnie ?
11. Que diriez-vous à l'idée d'avoir une femme comme patron ?
12. Aimeriez-vous assumer de nouvelles responsabilités ?
13. Avez-vous une voiture ?
14. Que pensez-vous des séances de formation en milieu de travail ?
15. Qu'est-ce que vous aimez chez un patron ?
16. Qu'est-ce que vous n'aimez pas chez un patron ?
17. Quels sont vos points faibles ?
18. Quels sont vos points forts ?

Changez de partenaire. Ensemble, décrivez les candidats ou candidates interviewés dans l'exercice précédent à l'aide, par exemple, des adjectifs proposés ci-dessous.

| ASPECTS POSITIFS | | ASPECTS NÉGATIFS | |
|---|---|---|---|
| débrouillard | discipliné | renfermé | impoli |
| compétent | organisé | solitaire | têtu |
| autonome | tolérant | exigeant | démotivé |
| flexible | agréable | catégorique | arrogant |
| fiable | motivé | désorganisé | suffisant |
| ponctuel | enthousiaste | fermé | agressif |
| sérieux | intéressant | intolérant | paresseux |
| habile | dynamique | prétentieux | |
| talentueux | confiant | méfiant | |
| expérimenté | ouvert | hésitant | |
| ambitieux | disponible | inexpérimenté | |
| bilingue | efficace | | |

# Profils

Lisez d'abord les réponses des deux candidats. Puis, en équipes, établissez le profil du candidat et celui de la candidate.

**Candidat n° 1**

1. Combien d'années d'expérience avez-vous ?
   *J'ai trois ans d'expérience.*

2. Votre patron s'absente une semaine sans vous prévenir. Que faites-vous ?
   *Je continue à faire mon travail. Je ne prends aucune initiative, car je ne dois surtout pas faire le travail de mon patron. Je ne veux pas qu'il pense que je veux faire son travail.*

3. Déménageriez-vous si c'était nécessaire ?
   *Je crois que oui. Mais d'abord je devrais en parler à ma femme car elle, elle fait carrière au Québec.*

4. Seriez-vous prêt à voyager ?
   *Certainement, sans aucun problème. D'ailleurs, j'aime beaucoup voyager.*

5. Seriez-vous prêt à travailler les fins de semaine ?
   *Sans aucun doute. Car je veux prouver que je suis capable de faire ce travail. Alors, si je dois faire des concessions, je suis prêt à les faire.*

6. Combien de langues parlez-vous ?
   *Je parle français et je me débrouille en anglais.*

7. Que pensez-vous du travail en équipe ?
   *J'aime beaucoup travailler en équipe. D'abord, une idée est toujours meilleure quand plusieurs personnes ont travaillé à la mettre au point. Deuxièmement, c'est excellent pour la compagnie de pouvoir compter sur une équipe dynamique et motivée.*

8. Que pensez-vous de la ponctualité ?
   *Je crois que c'est très important. Une personne qui n'est pas ponctuelle, qui ne respecte pas les délais, peut avoir des ennuis avec ses clients. Elle perd sa crédibilité. On ne peut pas lui faire confiance.*

9. Seriez-vous prêt à remplacer un collègue absent même si son travail n'était pas identique au vôtre ?
   *Certainement.*

10. Qu'attendez-vous de notre compagnie ?
    *Une opportunité. Pour moi, ce serait très important de travailler ici, car vous excellez dans un domaine qui me passionne.*

11. Que diriez-vous à l'idée d'avoir une femme comme patron ?
    *Je crois que je n'aurais pas de difficulté. Cela dit, j'ai déjà eu une mauvaise expérience avec une femme, mais je crois qu'il s'agissait plutôt d'un conflit de personnalités.*

12. Aimeriez-vous assumer de nouvelles responsabilités ?
    *Oui, si je me sens capable de les assumer.*

13. Avez-vous une voiture ?
    *Oui.*

14. Que pensez-vous des séances de formation en milieu de travail ?

*Je crois qu'elles sont une excellente façon de rester en contact avec les derniers développements de notre domaine. C'est une façon de se tenir toujours au courant, d'être informé et formé selon les dernières techniques. C'est excellent.*

15. Qu'est-ce que vous aimez chez un patron ?

*Sa compétence, sa compréhension, son engagement envers les clients et envers ses employés. Je crois que ce que j'aime le plus chez un patron, c'est son sens du respect.*

16. Qu'est-ce que vous n'aimez pas chez un patron ?

*Qu'il se fixe des objectifs irréalistes, qu'il essaie d'exercer du contrôle partout.*

17. Quels sont vos points faibles ?

*Je suis un peu insécure, j'ai peur d'échouer, de ne pas être à la hauteur...*

18. Quels sont vos points forts ?

*J'ai une bonne formation pour ce poste. Je suis discipliné et déterminé.*

## Candidate n° 2

1. Combien d'années d'expérience avez-vous ?

*J'ai un an d'expérience.*

2. Votre patron s'absente une semaine sans vous prévenir. Que faites-vous ?

*J'essaie de faire son travail pour lui montrer que je suis aussi bonne que lui.*

3. Déménageriez-vous si c'était nécessaire ?

*Oui, je déménagerais. Est-ce que la compagnie serait prête à assumer les frais de déménagement ?*

4. Seriez-vous prête à voyager ?

*Oui, si c'était pour de courtes périodes.*

5. Seriez-vous prête à travailler les fins de semaine ?

*De préférence non, car j'ai une vie de famille très chargée. Souvent, nous allons à la campagne, chez ma sœur.*

6. Combien de langues parlez-vous ?

*Je parle français et un peu l'anglais.*

7. Que pensez-vous du travail en équipe ?

*Personnellement, je préfère travailler seule. Je trouve que, lorsque je travaille en équipe, le travail est retardé. On prend beaucoup de temps pour se mettre d'accord. Les décisions sont plus difficiles à prendre. Mais j'aime bien coordonner des équipes, avoir de l'autorité.*

8. Que pensez-vous de la ponctualité ?

*Je crois que c'est important d'arriver à l'heure.*

9. Seriez-vous prête à remplacer un collègue absent même si son travail n'était pas identique au vôtre ?

*Oui, je ne crois pas que j'aurais de la difficulté à le faire.*

10. Qu'attendez-vous de notre compagnie ?

*Je voudrais avoir un bon salaire, à la hauteur de mes qualifications et de mon expérience.*

11. Que diriez-vous à l'idée d'avoir une femme comme patron ?

*Je crois que je m'entendrais mieux avec un homme, mais je pense que j'accepterais de travailler pour une femme.*

*Adjectif qualificatif*

12. Aimeriez-vous assumer de nouvelles responsabilités ?

*Oui, certainement.*

13. Avez-vous une voiture ?

*Non.*

14. Que pensez-vous des séances de formation en milieu de travail ?

*Je crois que je possède déjà les qualifications requises pour faire mon travail. Souvent, les séances de formation sont une perte de temps.*

15. Qu'est-ce que vous aimez chez un patron ?

*Qu'il me fasse confiance. J'aimerais avoir comme patron quelqu'un qui a beaucoup d'expérience dans le domaine, pour pouvoir apprendre de lui.*

16. Qu'est-ce que vous n'aimez pas chez un patron ?

*Je n'aime pas les gens qui sont de mauvaise humeur, les patrons qui ont des secrets pour leurs employés, les patrons qui font toujours des commentaires négatifs sur le travail de leurs employés, et surtout, les patrons autoritaires.*

17. Quels sont vos points faibles ?

*Mes points faibles ? Je ne sais pas.*

18. Quels sont vos points forts ?

*Je crois que j'ai les qualifications requises pour occuper le poste que vous offrez.*

# 12 Régions du Québec

Complétez les blancs à l'aide des adjectifs proposés dans les encadrés correspondants.

## Les îles de la Madeleine — Retrouvez le paradis perdu —

Au large des côtes _____ flotte l'archipel _____, sculpté par une nature _____. Reliées par des langues de sable, les îles de la Madeleine sont faites de falaises _____, de lagunes _____, de _____ vallons et de maisons _____. Moins de 15 000 habitants vivent sur 7 des îles, le reste étant _____.

> rouges, capricieuse, total, bleues, inhabité, multicolores, verts, accessible, québécoises, isolés

Facilement _____ par avion ou par traversier, ce lieu propose un dépaysement _____.

## Hull-Ottawa — L'est de la rivière des Outaouais —

Quand vous aurez quitté les secteurs _____ à l'est de Hull, vous vous trouverez au cœur d'une _____ région _____ offrant une vue _____ sur la rivière des Outaouais. La route 148 suit le cours de l'_____ route qu'empruntaient les voitures en provenance de Montréal au 19ᵉ siècle. De nos jours, les marais qui longent la rivière font partie d'un projet de protection des canards _____.

> Magnifique, superbe, sauvages, agricole, ancienne, aménagés

## Le Québec — Aventure en grande nature

Organisé, récréative, exceptionnels, naturel, fauniques, balisées, plein

Le Québec possède une excellente infrastructure _____ : des parcs d'État et des réserves _____, axés sur la protection de l'environnement, ainsi que des bases de _____ air où se pratiquent des activités pour tous les goûts, dans un cadre _____ _____ et dans le respect du milieu _____. Les parcs offrent des sites _____ et des pistes de randonnée _____.

## La ville de Québec — Patrimoine mondial

Seule ville _____ en Amérique du Nord, Québec se perche sur un promontoire _____ qui domine les eaux _____ du fleuve Saint-Laurent. _____ et _____, la capitale dégage un charme _____ qui séduit les visiteurs.

Avec ses _____ parcs, le berceau de la Nouvelle-France arbore fièrement ses bâtiments _____ qui témoignent de ses origines _____ et _____.

romantique, économique, massif, splendide, anglaise, majestueuses, administratif, saisissants, nombreux, attachante, française, fortifiée, spectaculaire, ancestraux

Ce décor _____, qui s'ouvre sur des panoramas _____, invite à la découverte. Mais loin d'être figée derrière ses remparts, la ville de Québec est aussi un centre _____ et _____ tourné vers l'avenir.

* Textes tirés et adaptés d'une brochure du ministère du Tourisme du Québec.

- Adjectifs qualificatifs
- Genre

# Tableau I

Complétez le tableau à l'aide d'adjectifs dont la terminaison est la même que celle de l'adjectif de départ. Dans la troisième colonne, indiquez s'il s'agit du féminin (F) ou du masculin (M), comme dans l'exemple.

| Adjectifs | Adjectifs | Adjectifs | Genre: M ou F |
|---|---|---|---|
| *Exemple:* petit | instruit | intéressant | M |
| 1. sensuel | | | |
| 2. passionnée | | | |
| 3. charmante | | | |
| 4. professionnelle | | | |
| 5. active | | | |
| 6. autonome | | | |
| 7. dynamique | | | |
| 8. généreuse | | | |
| 9. sportif | | | |
| 10. affectueux | | | |
| 11. stable | | | |
| 12. jolie | | | |
| 13. cultivé | | | |

- Adjectifs qualificatifs
- Noms

# Tableau 2

Trouvez un article et un nom qui s'accordent avec chacun des adjectifs donnés dans la colonne de droite, comme dans l'exemple.

| Articles | Noms | Adjectifs qualificatifs |
|---|---|---|
| Exemple : *une* | voiture | sportive |
| 1. | | mal élevé |
| 2. | | spacieux |
| 3. | | chaleureuse |
| 4. | | cultivé |
| 5. | | intéressant |
| 6. | | charmante |
| 7. | | tranquille |
| 8. | | épatante |
| 9. | | fâcheux |
| 10. | | ensoleillée |
| 11. | | moderne |
| 12. | | aimable |
| 13. | | exigeant |
| 14. | | difficile |
| 15. | | jolie |
| 16. | | jeune |
| 17. | | agréable |
| 18. | | intelligente |
| 19. | | accueillant |

# Tableau 3

Complétez le tableau à l'aide d'un adjectif, d'un nom ou d'un verbe, comme dans l'exemple.

| Adjectifs | Noms | Verbes |
|---|---|---|
| *Exemple :* créatif | la création | créer |
| 1. | la promesse | |
| 2. | | équiper |
| 3. discipliné | | |
| 4. | la méfiance | |
| 5. charmant | | |
| 6. | | intéresser |
| 7. agressif | | |
| 8. | la satisfaction | |
| 9. soucieuse | | |
| 10. | | aimer |
| 11. | l'ennui | |
| 12. amusant | | |
| 13. | | exiger |
| 14. accueillante | | |

- Adjectifs qualificatifs et leurs antonymes
- Noms et verbes de la même famille

# Tableau 4

Trouvez les antonymes et, s'il y a lieu, les noms et les verbes ou expressions correspondant aux adjectifs qualificatifs donnés. Suivez l'exemple.

| Adjectifs qualificatifs | Antonymes | Noms |
|---|---|---|
| *Exemple :* intolérant | **tolérant** | **tolérance** |
| 1. malpropre | | |
| 2. mal élevé | | |
| 3. malhonnête | | |
| 4. malsain | | |
| 5. indiscipliné | | |
| 6. désorganisé | | |
| 7. imprudent | | |
| 8. passif | | |
| 9. inhumain | | |
| 10. agressif | | |
| 11. déloyal | | |
| 12. antipathique | | |
| 13. ignorant | | |
| 14. indiscret | | |
| 15. menteur | | |
| 16. méchant | | |
| 17. difficile | | |
| 18. dangereux | | |

| Adjectifs qualificatifs | Antonymes | Noms |
|---|---|---|
| 19. laid | | |
| 20. dépensier | | |
| 21. contestataire | | |
| 22. violent | | |
| 23. égoïste | | |
| 24. superficiel | | |
| 25. impoli | | |
| 26. désagréable | | |
| 27. haïssable | | |
| 28. hypocrite | | |

*Adjectif qualificatif*

# 3

## Passé composé et imparfait

### Table des matières

| Page | Activités | Objectifs grammaticaux | Objectifs de communication |
|------|-----------|------------------------|----------------------------|
| 83 | 8. Inondations à Montréal | Passé composé<br>Voix passive:<br>*a été / ont été* + participe passé (accordé)<br>*a / ont provoqué / produit / occasionné*<br>*il y a eu un / une / des* | Rapporter un événement passé. |
| 85 | 9. Faits divers | Passé composé<br>Formes interrogatives:<br>*qu'est-ce qui s'est passé? où est-ce que ça s'est passé? quand est-ce que ça s'est passé? est-ce qu'il y a eu des...* + nom | Rapporter un événement passé. |
| 89 | 10. L'homme qui plantait des arbres | Passé composé<br>Questions et réponses au passé composé: *d'abord, ensuite, puis, après, finalement* | Raconter les étapes d'un projet. |
| 91 | 11. Je t'aime comme un fou | Imparfait | Parler de faits habituels au passé. |
| 93 | 12. En 19.. | Imparfait<br>Forme interrogative: inversion | Décrire la vie d'une personne à un moment passé. |
| 95 | 13. Portrait | Imparfait<br>Expressions relatives au temps | Décrire les habitudes d'une personne au passé. |
| 96 | 14. Ce n'est plus comme avant | Imparfait et présent<br>*Dans les années..., avant, autrefois, à cette époque-là, aujourd'hui, de nos jours, actuellement*<br>Comparaison: *moins, plus* | Comparer une situation présente à une situation passée. |
| 98 | 15. Information relative à un fait | Imparfait<br>Formes affirmative et négative + adjectif<br>*C'était* + adjectif<br>*Ce n'était pas* + adjectif<br>Pronom relatif *qui* + imparfait | Donner des détails sur un fait. |
| 100 | 16. Expliquons-nous | Passé composé<br>Imparfait<br>*Alors* + passé composé | Évoquer le résultat d'une action. |

*Passé composé et imparfait*

| Page | Activités | Objectifs grammaticaux | Objectifs de communication |
|---|---|---|---|
| 101 | 17. Quand... | Passé composé et imparfait<br>*Quand* + passé composé + imparfait<br>Imparfait + *quand* + passé composé<br>*Quand* + imparfait + imparfait<br>*Quand* + passé composé + passé composé | Raconter des faits passés. |
| 106 | 18. Objets perdus | Imparfait<br>*Il y avait un/une/des* + nom<br>*C'était* + adjectif | Décrire un objet. |
| 108 | 19. Raison de plus | Passé composé + *parce que* + imparfait<br>*Comme* + imparfait + passé composé | Donner une explication. |
| 110 | 20. En villégiature | Passé composé et imparfait<br>Expressions relatives au temps: *il y avait, c'était, il faisait, avant de..., ensuite, après, le matin, l'après-midi, le soir* | Parler de ses vacances au passé. |
| 111 | 21. Une semaine au bord de la mer | Passé composé et imparfait | Raconter une série d'actions ponctuelles.<br>Décrire des personnes et des lieux. |
| 113 | 22. Un vol de banque | Passé composé et imparfait<br>Expressions relatives au temps: *premièrement, ensuite, après, puis, plus tard, finalement, enfin* | Raconter une série d'actions ponctuelles.<br>Décrire des personnes et des lieux. |
| 115 | 23. Montréal au fil des ans | Passé composé et imparfait<br>Voix passive au passé composé (3ᵉ personne)<br>Expressions relatives au temps: *en..., vers..., au début des années..., à la fin des années...*<br>*Avant ça* + imparfait | Décrire un endroit ou un événement, au passé. |
| 118 | 24. Québec-Tahiti: l'aventure d'une famille | Passé composé et imparfait<br>Expressions relatives au temps | Raconter une aventure au passé. |
| 122 | 25. Avant, mais maintenant... | Imparfait, passé composé, présent<br>*Avant* + imparfait<br>*Mais* + passé composé<br>*Maintenant* + présent | Faire le point sur une situation passée. |

| Page | Tableaux d'entraînement | |
|---|---|---|
| 126 | Tableau 1 | Présent, passé composé, imparfait<br>Forme affirmative |
| 127 | Tableau 2 | Passé composé<br>Auxiliaires *avoir* et *être*<br>Forme affirmative |
| 128 | Tableau 3 | Passé composé, futur proche<br>Participe passé, infinitif |
| 129 | Tableau 4 | Passé composé<br>Verbes pronominaux et non pronominaux<br>Formes affirmative et négative |
| 130 | Tableau 5 | Passé composé<br>Participe passé |
| 131 | Tableau 6 | Passé composé<br>Auxiliaires *avoir* et *être*<br>Formes affirmative et négative |
| 132 | Tableau 7 | Présent, passé composé, imparfait<br>Forme négative |
| 133 | Tableau 8 | Passé composé<br>Auxiliaires *avoir* et *être* |
| 134 | Tableau 9 | Présent et imparfait<br>Forme affirmative<br>Terminaisons |
| 135 | Tableau 10 | Passé composé<br>Voix passive et voix active<br>(3e personne) |

## grammatical

### mposé

### ion

1. En général, les verbes au passé composé se conjuguent avec l'auxiliaire *avoir*.

| Exemples : | sujet + | auxiliaire *avoir* | participe passé |
|---|---|---|---|
| Forme affirmative | j' | ai | vu |
| Forme négative | je | n'ai pas | vu |

2. Les verbes suivants se conjuguent avec l'auxiliaire *être* :
   arriver, rester, tomber, décéder, aller, mourir, partir, naître, venir, devenir, revenir, parvenir, monter, entrer, retourner, descendre, sortir, passer (lorsqu'ils sont intransitifs).

| Exemples: | sujet + | auxiliaire *être* + | participe passé accordé |
|---|---|---|---|
| Forme affirmative | nous | sommes | arrivés |
| Forme négative | nous | ne sommes pas | arrivés |

3. Tous les verbes pronominaux se conjuguent avec l'auxiliaire *être*.*

| Exemples : | sujet + | auxiliaire *être* + | participe passé accordé |
|---|---|---|---|
| Forme affirmative | nous | nous sommes | couchés |
| Forme négative | nous | ne nous sommes pas | couchés |

* Certains participes passés de verbes pronominaux conjugués avec *être* s'accordent; d'autres ne s'accordent pas.

## B. Participes passés

**En -U**

| 1. | attendre | attendu |
|---|---|---|
| | défendre | défendu |
| | descendre | descendu |
| | perdre | perdu |
| | rendre | rendu |
| | vendre | vendu |
| | vivre | vécu |

| 2. | convenir | convenu |
|---|---|---|
| | devenir | devenu |
| | revenir | revenu |
| | venir | venu |

| 3. | courir | couru |
|---|---|---|
| | obtenir | obtenu |
| | retenir | retenu |
| | soutenir | soutenu |
| | tenir | tenu |

| 4. | devoir | dû |
|---|---|---|
| | falloir | fallu |
| | pleuvoir | plu |
| | pouvoir | pu |
| | prévoir | prévu |
| | recevoir | reçu |
| | savoir | su |
| | voir | vu |
| | vouloir | voulu |

| 5. | boire | bu |
|---|---|---|
| | croire | cru |
| | lire | lu |
| | plaire | plu |

| 6. | battre | battu |
|---|---|---|
| | connaître | connu |

| En -T | | | En -IS | | | En -ERT | |
|---|---|---|---|---|---|---|---|
| 1. | conduire | conduit | 1. | compromettre | compromis | couvrir | couvert |
| | construire | construit | | mettre | mis | découvrir | découvert |
| | détruire | détruit | | permettre | permis | offrir | offert |
| | inscrire | inscrit | | soumettre | soumis | ouvrir | ouvert |
| | traduire | traduit | 2. | apprendre | appris | | |
| 2. | éteindre | éteint | | comprendre | compris | | |
| | peindre | peint | | prendre | pris | | |
| | plaindre | plaint | | surprendre | surpris | | |
| 3. | dire | dit | 3. | asseoir | assis | | |
| | écrire | écrit | | | | | |
| | faire | fait | | | | | |
| | mourir | mort | | | | | |

En -É

Tous les verbes se terminant par **-er** à l'infinitif.

**Exemples :** *manger, chanter, aller, mais également naître et être*


En -I

Presque tous les verbes se terminant par **-ir** à l'infinitif.

**Exemples :** *sortir, choisir, finir, servir, dormir, cueillir, grossir, grandir, abolir, démolir, remplir, réfléchir, fournir, investir, régir, etc.*

## C. Articulateurs de temps

| 1. qui font avancer l'action | 2. qui évoquent un moment précis |
|---|---|
| avant ça | hier |
| après ça | il y a deux semaines |
| ensuite | le... juin 19.. |
| puis | en 19.. |
| tout de suite après | ce soir-là |
| enfin | un jour |
| en terminant | à 4 heures |
| pour finir | |
| à la fin | |
| à un moment donné | |

# Tableau grammatical

## Imparfait

### A. Formation

| Nous fais (le radical du présent de l'indicatif, à la première personne du pluriel...) | FAIS + | terminaisons de l'imparfait | |
|---|---|---|---|
| | | écrites | orales |
| je/tu | fais | AIS | |
| on/il/elle | fais | AIT | /ɛ/ |
| elles/ils | fais | AIENT | |
| nous | fais | IONS | /jɔ̃/ |
| vous | fais | IEZ | /je/ |

### B. Articulateurs de temps souvent utilisés avec l'imparfait*

Avant
Autrefois
Jadis
Toujours
Souvent
De temps en temps
Parfois
Des fois
D'habitude
Habituellement
Jamais
À cette époque-là
À ce moment-là

* Ces articulateurs de temps peuvent aussi être utilisés avec le passé composé.

*Passé composé et imparfait*

**Objectifs grammaticaux**

- Présent et passé composé
- *En général, souvent, tous les jours, d'habitude, en règle générale, la plupart du temps, habituellement, normalement, des fois, parfois*, etc.
- *Mais hier, mais la semaine passée, mais le mois passé*, etc.

**Objectif de communication**

- Parler de ses activités quotidiennes.

# *1* En général, mais hier...

A. Complétez le tableau ci-dessous. Dans la colonne de gauche, écrivez des verbes ou des énoncés au présent et des articulateurs de temps les accompagnent. Dans la colonne de droite, écrivez des verbes ou des énoncés au passé composé et des articulateurs de temps qui les accompagnent.

B. En équipes, parlez de vos activités quotidiennes. Inspirez-vous des énoncés du tableau.

| En général, souvent, tous les jours, d'habitude, en règle générale, la plupart du temps, habituellement, normalement, des fois, parfois... | Mais hier, mais la semaine passée, mais le mois passé, mais samedi passé... |
|---|---|
| *Exemple :* En général, je **prends** le métro. | Mais hier, j'**ai pris** un taxi. |
| 1. _____, je **sors** le soir. | _____ |
| 2. _____, je **lis** le journal le matin. | _____ |
| 3. _____ | _____ j'**ai fait** le ménage le soir. |
| 4. _____, je **parle** au téléphone le soir. | _____ |
| 5. _____, je **commence** à travailler à 8 heures. | _____ j'**ai commencé** à 16 heures. |
| 6. _____ | _____ je **n'ai pas fait** le ménage. |
| 7. Je **vais** au cinéma une fois par mois _____ , | _____ |
| 8. _____ chez le coiffeur _____ . | _____ |
| 9. _____, je **regarde** la télévision pendant le souper. | _____ |
| 10. Je **fais** le lavage le vendredi, _____ . | _____ le dimanche. |
| 11. _____, je **fais** mon épicerie chez Bertrand. | _____ chez Mimi. |

| En général, souvent, tous les jours, d'habitude, en règle générale, la plupart du temps, habituellement, normalement, des fois, parfois... | Mais hier, mais la semaine passée, mais le mois passé, mais samedi passé... |
|---|---|
| 12. En règle générale, _____. | _____, je **ne suis pas allé** au cinéma. |
| 13. _____ | _____, j'**ai marché** 10 minutes seulement. |
| 14. _____, j'**arrive** en classe cinq minutes à l'avance. | _____ |
| 15. _____ je **me couche** de bonne heure. | _____ tard. |
| 16. Je **me lève** à 7 heures, _____. | _____ À 9 heures. |

CAPSULE GRAMMATICALE

**Habitude + présent**
(fait qui se répète quotidiennement)

*Exemple:*
**En général**, je **sors** de la maison à 8 heures

**Fait inhabituel + passé composé**
(fait qui ne se produit qu'une fois ou qui ne se produit pas)

**mais hier**, je **suis sorti** à 8 heures et demie

**Objectifs grammaticaux**

- Passé composé
- *En 19.., quelques années plus tard, puis, après ça, l'année suivante*, etc.

**Objectif de communication**

- Raconter la vie d'une personne célèbre.

# 2 Une biographie

A. Lisez d'abord la biographie de Félix Leclerc. En équipes, parlez des faits marquants de la vie de cet artiste québécois en utilisant les expressions relatives au temps proposées dans l'encadré.

| En 19... | L'année suivante |
|---|---|
| Quelques années plus tard | Plus tard |
| Après ça | Ensuite |
| Puis | |

## Félix Leclerc*

| 1914: | Naissance de Félix Leclerc à La Tuque. |
|---|---|
| 1920-1927: | Études primaires chez les Frères maristes à La Tuque. |
| 1928-1933: | Études au séminaire des Oblats à Ottawa et à l'Université d'Ottawa. |
| 1934-1938: | Annonceur et animateur de radio (à Québec et à Trois-Rivières). |
| 1939-1940: | Leclerc chante sa première chanson à Radio-Canada. Il s'installe à Montréal. |
| 1943-1944: | Publication de ses trois premiers livres : *Adagio, Allegro* et *Andante*. |
| 1945: | Un premier enfant : Martin. |
| 1950: | Débuts à Paris. |
| 1952-1953: | Tournée en France et en Afrique du Nord. |
| 1953: | Retour au Québec. |
| 1956-1963: | Théâtre : *Sonnez les matines, L'Auberge des morts subites, Le roi viendra demain*. Prix. |
| 1967-1969: | Tournées en Europe. Naissance de Nathalie. |
| 1970: | Leclerc s'installe à l'île d'Orléans. Naissance de Francis. |
| 1979: | Il accepte qu'on donne son prénom aux trophées remis par l'ADISQ. |
| 1980: | Il se prononce pour le «oui» au référendum. |
| 1982: | Doctorat honorifique de l'Université du Québec. |
| 1985: | Il reçoit l'ordre des Québécois. |
| 1986: | Il reçoit la Légion d'honneur. |
| 1988: | Mort de Félix Leclerc à l'île d'Orléans. |

* Tiré et adapté de Marcel Brouillard, *Félix Leclerc. L'homme derrière la légende*, Montréal, Éditions Québec/Amérique, 1994.

B. Complétez les blancs à l'aide d'un verbe au passé composé à la forme affirmative. Puis, indiquez si l'information est vraie ou fausse, d'après la biographie ci-dessus.

|  |  | V | F |
|---|---|---|---|
| 1. vivre | Félix _____ en France. | ___ | ___ |
| 2. recevoir | Félix _____ la Légion d'honneur. | ___ | ___ |
| 3. avoir | Félix _____ quatre enfants. | ___ | ___ |
| 4. être | Félix _____ annonceur à la radio. | ___ | ___ |
| 5. chanter | Félix _____ en Europe. | ___ | ___ |
| 6. vivre | Félix _____ dans l'Ouest canadien. | ___ | ___ |
| 7. mourir | Félix _____ à Montréal. | ___ | ___ |
| 8. gagner | Félix _____ plusieurs prix. | ___ | ___ |
| 9. s'installer | Félix _____ définitivement à l'île d'Orléans en 1950. | ___ | ___ |
| 10. écrire | Félix _____ plusieurs pièces de théâtre. | ___ | ___ |
| 11. se prononcer | Félix _____ pour le « non » au référendum de 1980. | ___ | ___ |
| 12. faire | Félix _____ ses études universitaires à Québec. | ___ | ___ |
| 13. _____ | Félix _____ _____ | ___ | ___ |
| 14. _____ | Félix _____ | ___ | ___ |

**Objectifs grammaticaux**
- Passé composé
- Forme affirmative

**Objectif de communication**
- Raconter des faits passés dans l'ordre chronologique.

# *3* Deux fins de semaine bien différentes

A. D'après les renseignements donnés dans le tableau, composez un dialogue entre Sylvie et Carlos. Dans cet échange, ils racontent leur fin de semaine. Pratiquez, puis jouez le dialogue devant la classe.

## Sylvie
### Déménagement

**8 heures**
Aller chercher le petit camion de déménagement.

**9 heures**
Chargement du camion.

**10 heures**
Luc : reste à l'ancienne maison.
Sylvie et Jean-Pierre : montent les boîtes.

**11 heures**
Chargement des meubles.

**12 heures**
Pause-dîner.

**13 heures**
Chargement des boîtes et d'autres objets.

**14 heures**
Remise du camion.
Prix : 60 $ pour la demi-journée.

**15 heures à 19 heures**
Rangement des boîtes et des meubles dans la nouvelle maison.
Ménage.
Souper.

## Carlos
### Accueil des amis

**10 heures**
Arrivée de l'avion à Mirabel.

**11 heures**
Amener les amis à l'hôtel.

**12 heures**
Réunion dans le hall de l'hôtel.

**13 heures**
Dîner rapide dans un casse-croûte.

**14 heures**
Repos à l'hôtel.

**17 heures**
Balade en auto (Parc olympique, Mont-Royal, fleuve Saint-Laurent, Vieux-Montréal).

**20 heures**
Retour à l'hôtel.
Souper au restaurant (rue Saint-Denis).
Balade rue Saint-Denis.

**23 heures**
Bar-jazz. Vieux-Montréal.

B. Complétez les énoncés suivants au passé composé.

1. _____ le camion de déménagement.

2. À 20 heures _____ à l'hôtel.

3. _____ à l'ancienne maison.

4. Le camion _____ 60 $.

5. De 15 h à 19 h _____ dans la nouvelle maison.

6. Sylvie et Jean-Pierre _____ .

7. À 13 h _____ un dîner rapide.

8. _____ au Parc olympique.

9. _____ au restaurant.

10. _____ le Vieux-Montréal.

# Tu sais ce qui m'est arrivé?

A. Construisez des dialogues selon le modèle suivant. Pratiquez un dialogue, puis jouez la scène devant la classe.

***Exemple :***

A : — Tu sais ce qui m'est arrivé ?

B : — Non.

A : — Ma voiture est tombée en panne.

B : — Qu'est-ce que tu as fait alors ?

A : — J'ai appelé CAA. / Il a fallu que j'appelle CAA. / J'ai été obligé d'appeler CAA.

B : — Tu n'es pas chanceux !


A : — Tu sais ce qui m'est arrivé ?

B : — Non.

A : — _____

B : — _____

A : — _____

B : — Tu n'es pas chanceux !

B. Voici d'autres situations fâcheuses. À partir de ces idées, composez des dialogues de la même manière qu'à l'exercice 1. Travaillez en équipes de deux.

1. J'ai perdu ma montre → acheter une autre montre.

_____

2. On m'a volé mon sac → rentrer à pied.

_____

3. Nous avons oublié nos passeports → retourner à la maison les chercher.

_____

4. Il a perdu son portefeuille → téléphoner à la banque.

_____

5. J'ai été pris dans un ascenseur → attendre une heure.

_____

6. J'ai laissé mes clés à l'intérieur de la voiture → appeler CAA.

_____

7. Nous avons manqué notre vol → acheter un autre billet.

_____

8. J'ai oublié un gâteau dans le four et il a brûlé → acheter un gâteau à la pâtisserie.

_____

9. Il n'a pas réussi son examen d'admission → choisir une autre école.

_____

CAPSULE GRAMMATICALE

Le passé composé sert à raconter un fait ponctuel au passé.

## Verbes

– *arriver* **quelque chose à une personne**
– *se passer* **quelque chose**
Qu'est-ce qui s'est passé ?
Qu'est-ce qui est arrivé ?

Il m'est arrivé...
Il t'est arrivé...
Il lui est arrivé...
Il nous est arrivé...
Il vous est arrivé...
Il leur est arrivé...
} quelque chose

– *devoir* : j'ai dû appeler
– *falloir* : il a fallu appeler
– *être obligé de* : j'ai été obligé d'appeler
– *être forcé de* : j'ai été forcé d'appeler

**Objectifs grammaticaux**

- Passé composé
- Formes affirmative et négative
- Adverbes : *déjà*, *pas encore*, *une fois*, *jamais*
- Auxiliaire + adverbe + participe passé

**Objectif de communication**

- Raconter des faits inhabituels au passé.

# 5

# C'est curieux...

En équipes de deux, répondez aux questions suivantes. Voici des structures de phrases que vous pouvez utiliser dans vos réponses.

| | |
|---|---|
| *J'ai déjà* + participe passé | *Je n'ai pas encore* + participe passé |
| *Je n'ai jamais* + participe passé | *Mais une fois j'ai* + participe passé |

1. As-tu/Avez-vous déjà sauté en parachute ?
2. As-tu/Avez-vous déjà fait le tour du monde ?
3. As-tu/Avez-vous déjà vu un ovni ?
4. As-tu/Avez-vous déjà mangé du chien ?
5. As-tu/Avez-vous déjà trouvé de l'argent dans la rue ?
6. As-tu/Avez-vous déjà rencontré une personnalité célèbre ?
7. As-tu/Avez-vous déjà visité la ville de Québec ?
8. As-tu/Avez-vous déjà fait du camping en montagne ?
9. As-tu/Avez-vous déjà bu plus de quatre bières de suite ?
10. As-tu/Avez-vous déjà passé une nuit blanche ?
11. As-tu/Avez-vous déjà eu un accident de voiture ?
12. As-tu/Avez-vous déjà participé à un marathon ?
13. As-tu/Avez-vous déjà participé à une émission télévisée ?
14. As-tu/Avez-vous déjà fait du pouce ?
15. As-tu/Avez-vous déjà fait du saut « bungy » ?
16. As-tu/Avez-vous déjà fait du ski acrobatique ?
17. As-tu/Avez-vous déjà été membre du jury dans un procès ?
18. As-tu/Avez-vous déjà conduit une moto-neige ?
19. As-tu/Avez-vous déjà été pris dans un ascenseur ?
20. As-tu/Avez-vous déjà raté votre avion ?
21. As-tu/Avez-vous déjà monté les escaliers d'un édifice de 20 étages ?
22. As-tu/Avez-vous déjà gagné un voyage dans un concours ?

CAPSULE GRAMMATICALE

1. Place de l'adverbe dans les phrases au passé composé
   J'ai **déjà** vu un ovni.
   Je n'ai **jamais** vu d'ovni.
   Je n'ai **pas encore** fait de camping en montagne (mais j'en ferai un jour).

2. Adverbes qui se placent fréquemment devant le participe passé :

| | | | | | |
|---|---|---|---|---|---|
| tout | à peine | tellement | aussi | rien | jamais |
| beaucoup | peu | tout à fait | bien | encore | toujours |
| assez | vraiment | trop | souvent | déjà | à peu près |

*Passé composé et imparfait*

**Objectifs grammaticaux**

- Passé composé
- Formes affirmative et négative
- Adverbes : *déjà, encore, tout*

**Objectif de communication**

- Raconter un fait ponctuel au passé.

# Quel remue-ménage!

La famille Gagnon va bientôt déménager. Regardez les images des deux maisons et répondez aux questions suivantes : qu'est-ce que les Gagnon ont déjà fait ? qu'est-ce qu'ils n'ont pas encore fait ? Travaillez en équipes en utilisant les structures du tableau ci-dessous.

| | |
|---|---|
| *Ils ont déjà* + participe passé | *Il a déjà* + participe passé |
| *Ils n'ont pas encore* + participe passé | *Elle n'a pas encore* + participe passé |

**On déménage...**

**Objectifs grammaticaux**

- Passé composé
- *Il y a eu un / une / des* + nom
- *Il n'y a pas eu de* + nom
- *Ça s'est passé*
- Formes interrogatives: *qu'est-ce qui s'est passé? où? quand?*
  *est-ce qu'il y a eu des...?*

**Objectif de communication**

- Rapporter un événement passé.

# 7 L'état du monde

Regardez le tableau ci-dessous. Dans la colonne de gauche, des titres de journaux annoncent des événements. Deux par deux, posez-vous les questions de l'encadré, pour chaque événement. Répondez-y en utilisant les structures proposées.

Complétez ensuite la colonne de droite avec les informations que vous avez obtenues.

| *Il y a eu un/une/des* + nom | *Il n'y a pas eu de* + nom | *Ça s'est passé* |
|---|---|---|

Qu'est-ce qui s'est passé? où? quand? quelles ont été les conséquences? est-ce qu'il y a eu des dommages, des blessés, des personnes évacuées, des brûlés, des victimes?

# À LA UNE

Inondation au Bangladesh

Il y a eu des inondations au Bangladesh.
Il n'y a pas eu de victimes.
Il y a eu des personnes évacuées.

1. Vol spectaculaire en plein centre-ville de Montréal

_____
_____
_____
_____
_____
_____

2. La tempête du siècle s'abat sur Québec

_____
_____
_____
_____
_____

3. Un avion s'écrase à Amsterdam

_____
_____
_____
_____

4. L'ouragan Hugo frappe la Floride

_____
_____
_____
_____
_____

5. Conférence de Rio sur l'état de
   la planète

_____
_____
_____
_____
_____

6. Un feu détruit un musée de Paris

_____
_____
_____
_____
_____

7. Manifestations néonazies en
   Allemagne

_____
_____
_____
_____

8. New York : Bombe dans les tours
   jumelles

_____
_____
_____
_____

**Objectifs grammaticaux**

- Passé composé
- Voix passive :
  *a été / ont été* + participe passé (accordé)
  *a / ont provoqué / produit / occasionné*
  *il y a eu un / une / des*

**Objectif de communication**

- Rapporter un événement passé.

# 8    Inondations à Montréal

1. À partir des éléments proposés dans l'encadré, racontez l'événement à un ou à une partenaire.

2. Par écrit, inventez un fait divers au sujet d'un incendie au centre-ville de Québec. Voici des structures qui pourront vous être utiles.

> *S* + verbe au passé composé
> *Il y a eu* + nom
> Nom singulier + *a été* + participe passé (accordé)
> Nom pluriel + *ont été* + participe passé (accordé)
> Nom pluriel + *ont provoqué, causé, produit, entraîné* + nom
> Nom singulier + *a provoqué, causé, produit, entraîné* + nom

## Inondations à Montréal

- Vents violents : rupture de câbles électriques.
- Pannes d'électricité.
- Arbres déracinés.
- Évacuations/police/pompiers.
- Aéroports de Mirabel et de Dorval fermés. Annulation des vols. Pistes mouillées, dangereuses.
- Fermeture des musées avant les heures habituelles.
- Embouteillages.
- Ponts fermés à toute circulation.
- Problèmes de transport : trains, métros, autobus.
- État d'alerte. Aide des gouvernements de Québec et d'Ottawa.
- Nombreux accidents. Nombreuses chutes d'arbres et d'échafaudages.

(lignes vides)

# Fait divers : incendie majeur au centre-ville de Québec

(lignes vides)

CAPSULE GRAMMATICALE

Le passé composé peut être utilisé pour évoquer un événement passé.

| 1. **Voix active** | **Voix passive** |
|---|---|
| Sujet + auxiliaire *avoir* + participe passé | Sujet + auxiliaire *avoir* + été + participe passé (accordé) |
| **Exemples:** | |
| La tempête a paralysé les transports. | Les transports ont été paralysés par la tempête. |

2. *Il y a eu* +    *un*
                *une*      + nom
                *des*

    **Exemple:** Il y a eu des blessés.

3. Verbes servant à décrire une conséquence
    provoquer        produire
    causer             occasionner
    entraîner

    **Exemple:**
    Les vents ont causé la rupture de câbles électriques.

**Objectifs grammaticaux**
- Passé composé
- Formes interrogatives : *qu'est-ce qui s'est passé ? où est-ce que ça s'est passé ? quand est-ce que ça s'est passé ? est-ce qu'il y a eu des... + nom*

**Objectif de communication**
- Rapporter un événement passé.

# 9 Faits divers

A. Lisez les textes et regardez l'image. En équipes de deux, posez-vous les questions de l'encadré et répondez-y à tour de rôle pour chaque situation.

| | |
|---|---|
| Qu'est-ce qui s'est passé ? | Est-ce qu'il y a eu des victimes ? |
| Où est-ce que ça s'est passé ? | Est-ce qu'il y a eu des dégâts ? |
| Quand est-ce que ça s'est passé ? | Est-ce que la police est venue ? |

## ACCIDENT

Une femme a perdu la vie hier quand son automobile a embouti un camion en panne sur la voie de droite du tunnel Ville-Marie, à Montréal. L'accident s'est produit à la hauteur de la sortie Saint-Laurent. Le chauffeur du camion a été hospitalisé souffrant d'un choc nerveux.

## INCENDIE

## VOL

Un guichet automatique pesant environ une tonne a été dérobé en fin de semaine dernière au collège Algonquin, à Ottawa. Ni la banque ni la police ne savent combien d'argent se trouvait dans le guichet au moment du vol. La police ne possède encore aucune piste pouvant la conduire aux voleurs.

## MANIFESTATION

Quelques milliers de manifestants en faveur des droits de l'homme sont sortis hier dans les rues de Québec pour se prononcer contre la torture et le non-respect des libertés individuelles dans plusieurs pays du monde. Les manifestants se sont rendus en face du Parlement. Plusieurs d'entre eux portaient des photos de personnes persécutées.

B. Trouvez au moins deux expressions exprimant la même idée que l'expression soulignée. ✎

| | | |
|---|---|---|
| 1. | Une femme <u>a perdu la vie</u>. | a)_____ |
| | | b)_____ |
| 2. | Son automobile <u>a embouti</u> un camion. | a)_____ |
| | | b)_____ |
| 3. | L'accident <u>s'est produit</u>. | a)_____ |
| | | b)_____ |
| 4. | Le chauffeur <u>a été hospitalisé</u>. | a)_____ |
| | | b)_____ |
| 5. | Un guichet <u>a été dérobé</u>. | a)_____ |
| | | b)_____ |
| 6. | Plusieurs personnes <u>ont manifesté</u>. | a)_____ |
| | | b)_____ |
| 7. | Les manifestants <u>ont parcouru</u> les rues. | a)_____ |
| | | b)_____ |

C. Témoignages ✎

En équipes, imaginez ce que déclare chacune des personnes impliquées dans les événements précédents. Écrivez ces déclarations.

# ACCIDENT

**Le chauffeur du camion :** _____

_____

# INCENDIE

**Un sinistré :** _____

_____

# VOL

**La porte-parole de la banque :** _____

_____

# MANIFESTATION

**Un policier :** _____

_____

D. Interviews

Vous êtes journaliste et devez interviewer les personnes impliquées dans les événements précédents. Travaillez en équipes de deux.

_____

_____

_____

_____

_____

_____

E. Lisez le fait divers suivant. À l'oral puis à l'écrit, posez-vous des questions qui trouveront réponse dans les informations données dans le texte. Travaillez en équipes de deux ou trois.

**Exemple :** Qu'est-ce qui a endommagé la camionnette ?

**Le camion d'un jardinier dynamité**
# Un mauvais coup d'un concurrent ?

L'explosion d'un bâton de dynamite a lourdement endommagé une camionnette de la compagnie de jardiniers paysagistes Jardins de l'Est dans la nuit de jeudi, à Vanier, entraînant l'évacuation de cinq demeures du voisinage pendant trois heures.

La police a été prévenue à minuit par une voisine. L'explosion de la charge, placée sous le véhicule, n'a heureusement blessé personne. Une autre camionnette de la compagnie, stationnée dans la même entrée de garage, a été épargnée.

Le propriétaire du véhicule, M. Bruno Da Costa, était en vacances à l'extérieur du pays et a été prévenu par des proches, a indiqué la police qui poursuit son enquête pour retracer le ou les auteurs de l'explosion.

Selon le lieutenant Pascal Blackburn, de la police de Vanier, la compétition est féroce entre les paysagistes. «Mais s'il y a un lien entre l'explosion et le métier du propriétaire, ce serait la première fois que la concurrence entre paysagistes à Vanier susciterait la violence », a-t-il déclaré.

1. _____

2. _____

3. _____

4. _____

5. _____

6. _____

7. _____

8. _____

9. _____

10. _____

CAPSULE GRAMMATICALE

## Formation du passé composé

1. À la forme affirmative

   *Exemple:*

   | *Sujet* + | auxiliaire (avoir + ou être) | participe passé | |
   |-----------|-------------------------------|-----------------|---|
   | Un policier | a | arrêté | le suspect. |
   | Un policier | est | arrivé | sur les lieux. |

2. À la forme négative

   *Exemple:*

   | *Sujet* + | NE + | Auxiliaire + (avoir ou être) | PAS + | participe passé | |
   |-----------|------|------------------------------|-------|-----------------|---|
   | Le suspect | n' | a | pas | répondu | aux questions. |
   | L'ambulance | n' | est | pas | arrivée. | |

3. À la forme interrogative
   a) **mot ou terme interrogatifs** (quand, où, à quelle heure, comment, combien)
      Quand est-ce que le suspect s'est rendu à la police ?
      À quelle heure la police a-t-elle parlé avec le suspect ?

   b) *est-ce que...*
      Est-ce que le suspect a répondu aux questions ?

   c) **inversion**
      Le suspect a-t-il réclamé un avocat ?

**Objectifs grammaticaux**

- Passé composé
- Questions et réponses au passé composé
- *D'abord, ensuite, puis, après, finalement*

**Objectif de communication**

- Raconter les étapes d'un projet.

# 10 L'homme qui plantait des arbres

Lisez l'article, puis complétez l'entrevue de Frédéric Back avec le journaliste. Travaillez en équipes.

## Deuxième Oscar en cinq ans*

Le cinéaste Frédéric Back a mérité un oscar pour son film d'animation : *L'homme qui plantait des arbres*. C'est son deuxième Oscar en 5 ans. Il avait déjà reçu une première statuette en hommage à son film : *Crac*. Voici, par exemple, le cheminement qu'il a suivi pour *L'homme qui plantait des arbres* : premièrement, il choisit un texte. Dans
5 ce cas-ci il a retenu un texte de Jean Giono, pour son message sur la nature qui le touchait particulièrement. Il conçoit ensuite les dessins pour illustrer l'histoire. Puis des musiciens créent la musique et la bande sonore. M. Back, pour ce film, a produit 12 dessins par seconde. Chacun des dessins est photographié deux fois. Cela représente environ 20 000 dessins. L'impression de mouvement est donnée par la
10 différence entre un dessin et le suivant. Frédéric Back a deux passions : l'animation et la nature. Dans *L'homme qui plantait des arbres*, il a réuni ses deux passions. Il y raconte la vie d'un homme, patient, persévérant, qui arrive à transformer une région désertique en riche prairie. Monsieur Back est patient aussi. Il affirme qu'il n'y a
15 aucun intérêt à faire les choses vite, qu'il faut plutôt prendre le temps de bien les faire. Il nous donne la preuve de ce qu'il avance : il a mis 5 ans à créer son film, mais il en a fait un chef-d'œuvre. Bravo à Frédéric Back...

*\* Texte tiré du journal* La Presse, *le 25 mars 1990.*

## Entrevue avec Frédéric Back

J : Frédéric Back, vous avez gagné un prix pour *L'homme qui plantait des arbres*. Est-ce exact ?

FB : _____

_____

J : C'est le premier Oscar de votre carrière ?

FB : _____

_____

J : Pouvez-vous décrire les étapes que vous avez suivies pour faire ce film ?

FB : _____

_____

J :     Comment avez-vous choisi la musique ?

FB : _____

_____


J :     Pour produire un film comme *L'homme qui plantait des arbres*, est-ce important de travailler en équipe ?

FB : _____

_____


J :     Combien de dessins avez-vous réalisés ?

FB : _____

_____


J :     Combien de temps a pris la réalisation de ce film ?

FB : _____

_____


J :     Monsieur Back, je vous remercie pour cette entrevue.


Les vieilles sources, alimentées par les pluies et les neiges que retiennent les forêts, se sont remises à couler. On en a canalisé les eaux. À côté de chaque ferme, dans des bosquets d'érables, les bassins des fontaines débordent sur des tapis de menthes fraîches. Les villages se sont reconstruits peu à peu. Une population venue des plaines où la terre se vend cher s'est fixée dans le pays, y apportant la jeunesse, du mouvement, de l'esprit d'aventure. On rencontre dans les chemins des hommes et des femmes bien nourris, des garçons et des filles qui savent rire et ont repris goût aux fêtes campagnardes. Si on compte l'ancienne population, méconnaissable depuis qu'elle vit avec douceur et les nouveaux venus, plus de dix mille personnes doivent leur bonheur à Elzéard Bouffier.

GIONO, Jean, *L'homme qui plantait des arbres*, collection « Folio », Paris, Gallimard, 1983.

     *Passé composé et imparfait*

# *11* Je t'aime comme un fou

1. Lisez le texte de la chanson.

> Je t'aime comme un fou, je t'aime comme un fou, ou, ou, ou
> Je t'aime comme un fou mais tu t'en fous
> Je t'aime comme un fou, je t'aime comme un fou
> Je me tatoue ton nom tout partout
> Pour que tu me trouves plus beau quand tu me verras tout nu
> J'ai perdu vingt kilos, t'en es-tu aperçu?
> Pour retrouver ma ligne, pour retrouver mon swing
> je fais du body-building, du tennis, du jogging
> M'as-tu vu courir, m'as-tu vu courir, m'as-tu vu courir dans ta rue
> Je t'aime comme un fou mais tu t'en fous
> Je t'aime comme un fou, je t'aime comme un fou
> Je me tatoue ton nom tout partout
> Tu me donnes de l'énergie comme j'en ai jamais eu
> À cause de toi ma vie a pris de la plus-value
> Je me sens comme un champion qui court le marathon
> Chaque fois que tu me dis non je redouble d'ambition
> Depuis que je t'ai rencontrée, é, é, à une séance d'aérobique
> Toute ma vie a changé, é, é, maintenant je me réveille en musique
> M'as-tu vu courir, m'as-tu vu courir, m'as-tu vu courir dans ta rue
> Je t'aime comme un fou, je t'aime comme un fou, ou, ou, ou
> Je t'aime comme un fou, je t'aime comme un fou
> Je me tatoue ton nom tout partout

Auteur : Luc Plamondon
Compositeur-interprète : Robert Charlebois
© Les Éditions Mondon inc.

En équipes, imaginez comment vivait l'homme de la chanson avant de faire la connaissance de celle qui a changé sa vie. Discutez-en.

Repas (quantité, qualité) : _____

_____

_____

_____

_____

_____

Sommeil : _____

_____

_____

_____

Exercice : _____

_____

_____

Consommation d'alcool : _____

_____

_____

Consommation de tabac : _____

_____

_____

Loisirs : _____

_____

_____

Allure (vêtements, cheveux, parfum) : _____

_____

_____

Poids : _____

_____

_____

2. Imaginez le même personnage qui raconte à un ami les changements survenus dans sa vie. Il commence comme ceci :
*Depuis que j'ai rencontré Lucie, ma vie a changé, avant...*
En jouant le rôle de ce personnage, poursuivez le récit.

3. Racontez comment la vie de Bruce et Monique a changé depuis qu'ils ont eu un bébé.

**Objectifs grammaticaux**

- Imparfait
- Forme interrogative : inversion

**Objectif de communication**

- Décrire la vie d'une personne à un moment passé.

# 12

# En 19..

Interviewez un ou une partenaire en lui posant les questions du sondage ci-dessous. Consignez les renseignements recueillis dans les espaces prévus à cette fin dans la grille. Travaillez en équipes de deux.

À tour de rôle, répondez aux questions en utilisant des verbes à l'imparfait.

| SONDAGE | En **1975** | En **1985** |
|---|---|---|
| 1. Aviez-vous des enfants ? | | |
| 2. Combien ? | | |
| 3. Habitiez-vous avec vos parents ? | | |
| 4. Habitiez-vous dans une maison ? | | |
| 5. Un appartement ? | | |
| 6. Où ? | | |
| 7. Étiez-vous aux études ? | | |
| 8. Lesquelles ? | | |
| 9. Aviez-vous des animaux ? | | |
| 10. Lesquels ? | | |
| 11. Aviez-vous une voiture ? | | |
| 12. Faisiez-vous du sport ? | | |

| SONDAGE | En 1975 | En 1985 |
|---|---|---|
| 13. Lequel ? | | |
| 14. Fumiez-vous ? | | |
| 15. Habitiez-vous au Québec ? | | |
| 16. Sortiez-vous le soir ? | | |
| 17. Étiez-vous marié ? | | |
| 18. Parliez-vous français ? | | |
| 19. Preniez-vous un cours de français ? | | |
| 20. Aviez-vous des amis francophones ? | | |
| 21. Aviez-vous votre permis de conduire ? | | |
| 22. Aviez-vous un travail ? | | |
| 23. Alliez-vous souvent au cinéma ? | | |
| 24. Alliez-vous souvent au restaurant ? | | |
| 25. Invitiez-vous souvent des amis à la maison ? | | |
| 26. Étiez-vous heureux ? | | |
| 27. Faisiez-vous un travail intéressant ? | | |
| 28. Étiez-vous plus gros ou plus mince ? | | |

*Passé composé et imparfait*

**Objectifs grammaticaux**
- Imparfait
- Expressions relatives au temps

**Objectifs de communication**
- Décrire les habitudes d'une personne au passé.

# *13*

# Portrait

## HABITUDES

Mario Dubois a 55 ans. Quand il était jeune, il était cycliste professionnel. Deux par deux, parlez des habitudes de vie de Mario à 20 ans. Utilisez des verbes à l'imparfait ainsi que les expressions proposées ci-dessous.

| toujours |
| souvent |
| de temps en temps |
| quelquefois |
| tous les jours |
| deux fois par jour |
| le matin |
| l'après-midi |
| le soir |

| 1. L'imparfait est souvent utilisé pour décrire une situation passée différente de celle d'aujourd'hui. Articulateurs de temps souvent utilisés avec l'imparfait | 2. L'imparfait est souvent utilisé pour décrire des habitudes au passé. Articulateurs de temps servant à exprimer l'habitude au présent et au passé |
| --- | --- |
| À cette époque-là<br>Autrefois<br>Jadis<br>Avant<br>En 19..<br>À ce moment-là | Souvent<br>Jamais<br>Toujours<br>Quelquefois<br>Parfois<br>Tous les matins |

CAPSULE GRAMMATICALE

**Objectifs grammaticaux**

- Imparfait et présent
- *Dans les années..., avant, autrefois, à cette époque-là*
- *Aujourd'hui, de nos jours, actuellement*
- Comparaison : *moins, plus*

**Objectif de communication**

- Comparer une situation présente à une situation passée.

# Ce n'est plus comme avant

En équipes, décrivez les différents aspects de la vie d'autrefois en les comparant à ceux de la vie d'aujourd'hui. Inspirez-vous des idées exposées dans le tableau.

Ensuite, complétez le tableau.

| | MAINTENANT | AVANT (il y a 50 ans) |
|---|---|---|
| **CIRCULATION AUTOMOBILE** | Il y a d'énormes embouteillages partout.<br>Les ponts sont toujours bloqués. | |
| **VOYAGES** | Transport<br>Communications<br>Prix des billets | Les Québécois ne voyageaient pas beaucoup. |
| **PRODUITS DE CONSOMMATION**  | Il y a une quantité énorme de produits :<br>pour la cuisine (grille-pain, cafetière, ouvre-boîtes électrique, four à micro-ondes, etc.) ;<br>pour le salon (téléviseur, vidéo, magnétoscope, chaîne stéréo, lecteur CD, etc.) ;<br>pour la maison en général (laveuse, sécheuse, réfrigérateur, téléphone sans fil, télécopieur, ordinateur, etc.). | |

| | MAINTENANT | AVANT (il y a 50 ans) |
|---|---|---|
| **TRAVAIL** | Syndicats.<br><br>Groupes de travailleurs.<br>Organisations. | Les conditions d'emploi des travailleurs étaient moins bonnes.<br>Les salaires … |
| **TRANSPORTS** | Le système de transport est excellent.<br>Autobus, métro, grand réseau routier.<br><br>Beaucoup de gens ont une voiture. | |
| **HIVER** | Le système de déneigement est très efficace.<br>Rues.<br>Routes.<br><br>Trottoirs.<br>Entrées de garage. | |
| **ACTIVITÉS ESTIVALES** | Activités de plein air (camping, balades, randonnées, bicyclette, etc.).<br>Festivals de musique, de danse. | |
| **MŒURS** | Famille.<br><br>École.<br>Église. | Les familles étaient nombreuses.<br>Les femmes … |

**Objectifs grammaticaux**

- Imparfait
- Formes affirmative et négative + adjectif
- *C'était* + adjectif
- *Ce n'était pas* + adjectif
- Pronom relatif *qui* + imparfait

**Objectif de communication**

- Donner des détails sur un fait.

# 15 ── Information relative à un fait

Complétez les énoncés suivants en décrivant à l'imparfait les éléments de la colonne de gauche à l'aide des adjectifs de la colonne de droite, comme dans les exemples.

*Exemples* :

a)  Nous **avons vu** un bon film en fin de semaine.

Le film **était** intéressant.

La musique **était** belle.

Les comédiens **n'étaient pas** bons.

1.  Nous **sommes allés** au restaurant.

Le restaurant _____

_____

Les repas _____

_____

Le service _____

_____

L'ambiance _____

_____

2.  Je **suis allé** au *party* chez Ali.

La musique _____

_____

Les invités _____

_____

L'ambiance _____

_____

3.  Je **suis allé** en vacances au bord de la mer.

L'hôtel _____

_____

Les services _____

_____

beau/belle
vieux/vieille
bon/bonne
chaud/chaude
intéressant/intéressante
captivant/captivante
excellent/excellente
grand/grande
mauvais/mauvaise
plaisant/plaisante
séduisant/séduisante
plein/pleine de monde
amusant/amusante
petit/petite
long/longue
laid/laide
froid/froide
insupportable
calme
moderne
sympathique
dégoûtant
désagréable
médiocre
réaliste
jeune
superbe
plate
réussi/réussie
compliqué/compliquée
complet/complète
indiscret/indiscrète
spacieux/spacieuse
furieux/furieuse
délicieux/délicieuse

La mer _____

_____

La plage _____

_____

4. Nous **avons fait** du camping.

Le temps _____

_____

Les moustiques _____

_____

La tente _____

_____

Le lac _____

_____

5. Nous **avons fait** un tour de vélo.

La piste _____

_____

Le temps _____

_____

6. J'**ai lu** un livre.

Les personnages _____

_____

Les descriptions _____

_____

7. J'**ai vu** comment un voleur volait le sac d'une dame dans le métro.

Le voleur _____

_____

La dame _____

_____

beau/belle
vieux/vieille
bon/bonne
chaud/chaude
intéressant/intéressante
captivant/captivante
excellent/excellente
grand/grande
mauvais/mauvaise
plaisant/plaisante
séduisant/séduisante
plein/pleine de monde
amusant/amusante
petit/petite
long/longue
laid/laide
froid/froide
insupportable
calme
moderne
sympathique
dégoûtant
désagréable
médiocre
réaliste
jeune
superbe
plate
réussi/réussie
compliqué/compliquée
complet/complète
indiscret/indiscrète
spacieux/spacieuse
furieux/furieuse
délicieux/délicieuse

**Objectifs grammaticaux**
- Passé composé
- Imparfait
- *Alors* + passé composé

**Objectif de communication**
- Évoquer le résultat d'une action.

# *16* Expliquons-nous

Complétez les phrases avec une explication, comme dans l'exemple. Utilisez des verbes au passé composé. Dans la colonne de droite, vous trouverez quelques exemples de verbes, la terminaison de leur participe passé ainsi que l'auxiliaire avec lesquels ils se conjuguent. Prenez une deuxième feuille de papier au besoin.

***Exemple:*** Il faisait beau alors nous **sommes sortis**.

| | | Avec *être* | Avec *avoir* |
|---|---|---|---|
| 1. | La porte était fermé alors... | sortir/**i** | manger/**é** |
| 2. | On était fatigués alors... | partir/**i** | commander/**é** |
| 3. | Il pleuvait beaucoup alors... | descendre/**u** | raccrocher/**é** |
| 4. | Elle avait mal à la tête alors... | aller/**é** | demander/**é** |
| 5. | Je n'avais pas d'argent alors... | entrer/**é** | changer/**é** |
| 6. | On avait faim alors... | retourner/**é** | appeler/**é** |
| 7. | L'eau était froide alors... | rester/**é** | prendre/**is** |
| 8. | Notre chambre n'avait pas de fenêtre alors... | | mettre/**is** |
| 9. | Toutes les lignes étaient occupées alors... | | attendre/**u** |
| 10. | La douche ne fonctionnait pas alors... | | boire/**u** |
| 11. | Nous n'avions pas son adresse alors... | | répondre/**u** |
| 12. | Son numéro n'était pas le bon alors... | | |
| 13. | La nourriture était délicieuse alors... | | |
| 14. | J'étais malade alors... | | |
| 15. | J'avais soif alors... | | |

_____

_____

_____

_____

_____

**Objectifs grammaticaux**

- Passé composé et imparfait
- *Quand* + passé composé + imparfait
- Imparfait + *quand* + passé composé
- *Quand* + imparfait + imparfait
- *Quand* + passé composé + passé composé

**Objectif de communication**

- Raconter des faits passés.

# 17

## Quand...

A. Regardez l'image. Dites ce que faisaient les élèves quand le professeur est entré dans la salle de classe. Travaillez en équipes de deux et utilisez la structure suivante :

*Quand* + PASSÉ COMPOSÉ + IMPARFAIT
IMPARFAIT + *quand* + PASSÉ COMPOSÉ

Quand le professeur est entré...

- _____
- _____
- _____
- _____
- _____

- _____
- _____
- _____
- _____
- _____

*Passé composé et imparfait*

B.  Regardez l'image et dites ce que chacun et chacune faisaient quand Luc est arrivé. Travaillez en équipes de deux.

Quand Luc est arrivé...

- _____     - _____
- _____     - _____
- _____     - _____
- _____     - _____

C.  Regardez l'image et dites ce que les membres de cette famille faisaient quand la voisine a frappé à la porte. Travaillez en équipes de deux.
    Quand la voisine a frappé...

- _____     - _____
- _____     - _____
- _____     - _____
- _____     - _____

D. Les images ci-dessous décrivent différents aspects de la vie d'une personne. Parlez de la vie de cette personne en utilisant la structure suivante:

*Quand* + IMPARFAIT + IMPARFAIT

1. Quand j'étais plus jeune...

• _____   • _____

• _____   • _____

• _____   • _____

• _____   • _____

• _____   • _____

2. Quand j'allais à l'école...

• _____   • _____

• _____   • _____

• _____   • _____

• _____   • _____

• _____   • _____

3. Quand j'habitais à Trois-Pistoles...

- _____  •  _____

- _____  •  _____

- _____  •  _____

- _____  •  _____

- _____  •  _____

E. Regardez les images et décrivez les actions en utilisant la structure proposée. Travaillez en équipes à l'oral puis à l'écrit.

   _Quand_ + PASSÉ COMPOSÉ + PASSÉ COMPOSÉ

- _____  •  _____

- _____  •  _____

- _____  •  _____

- _____  •  _____

- _____
- _____
- _____
- _____

- _____
- _____
- _____
- _____

- _____
- _____
- _____
- _____

- _____
- _____
- _____
- _____

*Passé composé et imparfait*

**Objectifs grammaticaux**

- Imparfait
- *Il y avait un / une / des* + nom
- *C'était* + adjectif

**Objectif de communication**

- Décrire un objet.

# 18 — Objets perdus

A. Complétez le dialogue. Décrivez au passé un objet perdu en utilisant l'imparfait.

### J'ai perdu mon portefeuille

A: — Bonjour, j'appelle pour rapporter un objet perdu. J'ai laissé mon portefeuille sur un bureau.

B: — Oui, madame, comment était votre portefeuille ?

A: — Il **était**...

_____

_____

_____

B: — Qu'est-ce qu'il y avait dedans ?

A: — Il y **avait** une..., un..., des... (description de l'image)

_____

_____

_____

_____

B: — Malheureusement, il n'est pas ici. Vous pouvez nous rappeler plus tard si vous le désirez.

A: — _____

B. À partir des images ci-dessous, inventez des dialogues selon le modèle précédent. Travaillez
avec un ou une partenaire. Pratiquez votre dialogue, puis jouez-le devant la classe.

1. **J'ai perdu ma valise.**

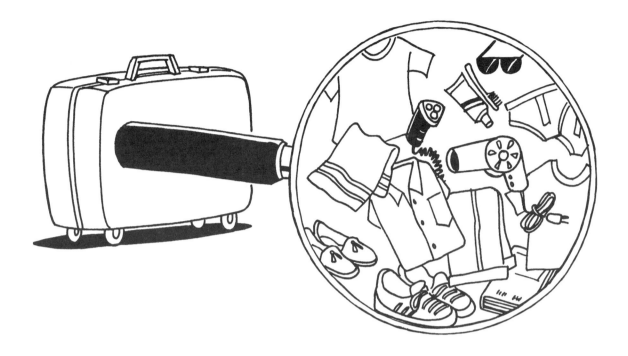

2. **J'ai perdu mon sac à main.**

**Objectifs grammaticaux**
- Passé composé + *parce que* + imparfait
- *Comme* + imparfait + passé composé

**Objectif de communication**
- Donner une explication.

# *19* Raison de plus

A. Complétez les énoncés à l'aide d'un verbe à l'imparfait, comme dans l'exemple. Utilisez la structure suivante.

**Parce que + imparfait**

*Exemple:* Nous **avons commandé** une pizza parce que nous **avions** faim.

1. J'ai demandé son numéro de téléphone parce que... _____

2. On a loué un film parce que... _____

3. Je suis resté à la maison parce que... _____

4. Nous avons déménagé parce que... _____

5. Ils ont fait un voyage parce que... _____

6. J'ai posé une question au professeur parce que... _____

7. J'ai pris un café parce que... _____

8. J'ai fait du ménage dans la maison parce que... _____

9. J'ai acheté un dictionnaire parce que... _____

10. Je me suis levée de bonne heure parce que... _____

11. Nous n'avons pas attendu nos amis parce que... _____

12. Il a baissé le volume de la radio parce que... _____

13. Je n'ai pas bu de vin parce que... _____

14. Je n'ai pas ouvert la porte parce que... _____

15. J'ai envoyé une lettre parce que... _____

16. Je me suis couché à minuit parce que... _____

B. Complétez les blancs à l'aide d'un verbe à l'imparfait, comme dans l'exemple.

*Exemple:* Comme il **était** en vacances, il **s'est couché** tard.

1. Comme _____, nous ne sommes pas venus.

2. Comme _____, nous avons pris un parapluie.

3. Comme _____, ils ont téléphoné.

4. Comme _____, j'ai attendu une heure.

5. Comme _____, j'ai baissé le volume.

6. Comme _____, j'ai décidé de suivre un cours de français.

7. Comme _____, j'ai dû appeler un plombier.

8. Comme _____, nous avons fini par téléphoner.

9. Comme _____, j'ai fait un peu de ménage.

10. Comme _____, j'ai acheté du poulet.

11. Comme _____, vous avez fait faire une autre clé.

12. Comme _____, ils ont pris la voiture.

13. Comme _____, je n'ai pas pu sortir de la maison.

14. Comme _____, nous avons fait un pique-nique au parc.

15. Comme _____, j'ai invité mes amis à la maison.

16. Comme _____, je n'ai pas pris de vacances.

17. Comme _____, je suis allé faire les courses.

18. Comme _____, j'ai dormi toute la journée.

19. Comme _____, ils n'ont pas répondu à la lettre.

20. Comme _____, je lui ai acheté un cadeau.

CAPSULE GRAMMATICALE

1. L'imparfait est souvent utilisé pour donner une explication sur un fait exprimé au passé composé. Cette explication correspond à une situation qui se termine avec l'action au passé composé. Les deux actions ne peuvent pas s'enchaîner à l'aide du mot *après*.

## Action au passé composé

| | Il n'y avait rien dans le réfrigérateur | | nous avons commandé une pizza. |
|---|---|---|---|
| Temps ◄ | E X P L I C A T I O N | ⧗ | F A I T ► |

**Exemple :**
Nous avons commandé une pizza parce qu'il n'y avait rien dans le réfrigérateur.
Comme il n'y avait rien dans le réfrigérateur, nous avons commandé une pizza.

2. Deux actions au passé composé peuvent également se suivre. Dans ce cas, chaque action est nécessairement terminée avant que l'autre ne commence. Les deux actions peuvent s'enchaîner à l'aide du mot *après*.

| | 1ʳᵉ action au passé composé | | 2ᵉ action au passé composé |
|---|---|---|---|
| Temps ◄ | E X P L I C A T I O N | ⧗ | F A I T ► |

**Exemple :**
Nous avons commandé une pizza parce que nous n'avons rien trouvé dans le réfrigérateur.
Nous n'avons rien trouvé dans le réfrigérateur. Après, nous avons commandé une pizza.

**Objectifs grammaticaux**

- Passé composé et imparfait
- Expressions relatives au temps : *il y avait, c'était, il faisait, avant de..., ensuite, après, le matin, l'après-midi, le soir*

**Objectif de communication**

- Parler de ses vacances au passé.

# 20

# En villégiature

D'après les informations données, décrivez la fin de semaine de Leïla et Vincent. Utilisez des verbes au passé composé pour exprimer les actions ; employez des verbes à l'imparfait pour décrire des lieux, des objets ou le temps.

## Le vendredi 11 juillet

Appeler l'hôtel — confirmer la réservation.
Banque — chercher de l'argent.

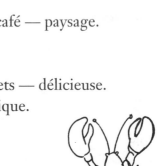

## Le samedi 12 juillet

1. 11 h  Départ de Montréal — autoroute 20 — soleil.
2. 13 h  Dîner rapide — casse-croûte — toilette.
3. 14 h  Arrivée à Québec : Pont Pierre-Laporte — quelques nuages mais du soleil aussi.
4. Visite rapide de la vieille capitale — auto — pas de stationnement — une demi-heure à Québec.
5. Une heure de route — beaux paysages. Arrivée à Baie-Saint-Paul : traversier — paysage magnifique — fleuve très beau.
6. Arrivée à l'île aux Coudres : à l'hôtel — chambre pas prête.
7. Bagages hôtel.
8. Randonnée à pied près de l'hôtel : boutiques — photos — café — paysage.
9. Tour de vélo : 2 heures.
10. Baignade dans la piscine de l'hôtel : plaisant — eau froide.
11. Restaurant — menu : homard — très bon — tarte aux bleuets — délicieuse.
12. Promenade au bord du fleuve — coucher de soleil : magnifique.
13. Soirée dansante à l'hôtel.
14. Coucher : minuit.

**Objectifs grammaticaux**
- Passé composé et imparfait

**Objectifs de communication**
- Raconter une série d'actions ponctuelles.
- Décrire des personnes et des lieux.

# 21 Une semaine au bord de la mer

Classez les images en cochant **Action** quand elles expriment l'action principale ou **Description** quand elles décrivent un lieu, une personne ou un objet. Pour chaque image, écrivez l'action au passé composé ou la description, à l'imparfait selon le cas, comme dans l'exemple.

**Exemple :**

Action ☑ / Description ☐

Ils ont pris l'avion.
_____

1.

Action ☐ / Description ☐

_____
_____

2.

Action ☐ / Description ☐

_____
_____

3.

Action ☐ / Description ☐

_____
_____

4.

Action ☐ / Description ☐

_____
_____

5.

Action ☐ / Description ☐

_____
_____

 *Passé composé et imparfait*

6.

Action ☐ / Description ☐

_____

_____

7.

Action ☐ / Description ☐

_____

_____

8.

Action ☐ / Description ☐

_____

_____

9.

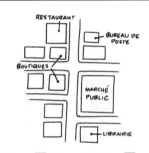

Action ☐ / Description ☐

_____

_____

10.

Action ☐ / Description ☐

_____

_____

11.

Action ☐ / Description ☐

_____

_____

12.

Action ☐ / Description ☐

_____

_____

## Objectifs grammaticaux

- Passé composé et imparfait
- Expressions relatives au temps : *premièrement*, *ensuite*, *après*, *puis*, *plus tard*, *finalement*, *enfin*

## Objectifs de communication

- Raconter une série d'actions ponctuelles.
- Décrire des personnes et des lieux.

# 22   Un vol de banque

A. Regardez les images. Un événement y est présenté par étapes, de façon chronologique. Parlez de cet événement en utilisant des verbes au passé composé. Puis, pour chacune des images, écrivez les actions entreprises par les voleurs.

- _____
- _____
- _____
- _____
- _____

- _____
- _____
- _____
- _____
- _____

- _____
- _____
- _____
- _____
- _____

B. Regardez les images de la page suivante. Des lieux et des personnages en rapport avec le fait que vous venez de raconter y sont présentés. Décrivez-les à l'aide de verbes à l'imparfait. Ensuite, pour chacune des images, décrivez les lieux et les personnes.

- _____
- _____
- _____
- _____

- _____
- _____
- _____
- _____

- _____
- _____
- _____
- _____

_____

_____

_____

_____

C. Vous avez été témoin de ce vol. Racontez l'événement en alternant les verbes au passé composé et à l'imparfait selon qu'il s'agisse d'une action ou d'une description.

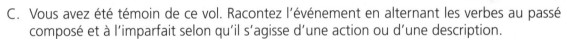

CAPSULE
GRAMMATICALE

| **L'imparfait est utilisé** | **Le passé composé est utilisé** |
|---|---|
| pour décrire le cadre d'une action. | pour évoquer une suite d'actions. |
| Les verbes à l'imparfait peuvent apparaître à n'importe quelle place dans le récit. | Les verbes au passé composé doivent se suivre chronologiquement. |
| ***Exemples:*** | |
| Il pleuvait. | Marie a décroché le téléphone. |
| Marie était fatiguée. | Elle a appelé sa copine Claire. |
| Le chat dormait sur un coussin. | Elle a raccroché après 10 minutes. |
| **On peut changer l'ordre des phrases dont les verbes sont à l'imparfait.** | **On ne peut pas changer l'ordre des phrases dont les verbes sont au passé composé.** |
| Marie était fatiguée. | Marie a décroché le téléphone. |
| Le chat dormait sur un coussin. | Elle a appelé sa copine Claire. |
| Il pleuvait. | Elle a raccroché après 10 minutes. |

**Objectifs grammaticaux**

- Passé composé et imparfait
- Voix passive au passé composé (3ᵉ personne)
- Expressions relatives au temps : *en..., vers..., au début des années..., à la fin des années...*
- *Avant ça + imparfait*

**Objectif de communication**

- Décrire un endroit ou un événement au passé.

# 23 Montréal au fil des ans

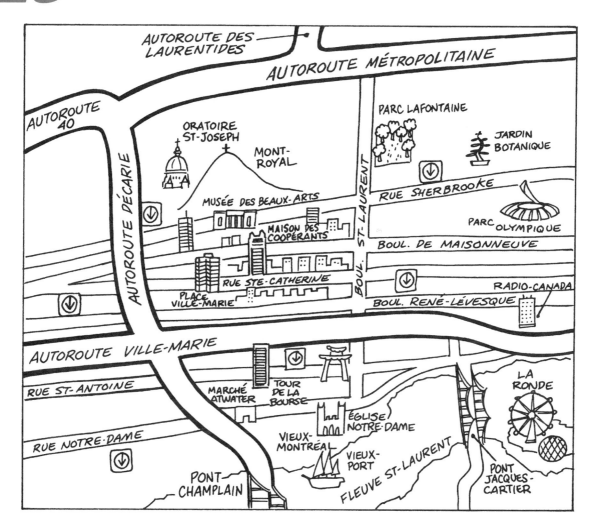

Le tableau ci-contre comprend des renseignements sur plusieurs sites et activités de la ville de Montréal. À l'aide de ces éléments, décrivez-en différents aspects. Les structures proposées dans l'encadré pourront vous être utiles. Travaillez en équipes de deux.

| *Avant* + imparfait | *... dans les années...* |
|---|---|
| *En 19__, + nom + a été +* participe passé (accordé) | *... pendant les années... +* imparfait |
| *En 19__, + nom + ont été +* participe passé (accordé) | *... vers...* |

### Exemple :

L'autoroute Ville-Marie a été inaugurée en 1975. Avant ça, il n'y avait pas de voie rapide au centre-ville.

---

| SITES ÉVÉNEMENTS | Année | Verbes | Avant | Verbes |
|---|---|---|---|---|
| Autoroute des Laurentides (première autoroute) | Fin des années 1950 | construire ouvrir démolir déménager disparaître inaugurer ouvrir créer coûter avoir lieu achever y avoir être | Pas de réseau d'autoroutes. | se trouver exister jouer prendre se déplacer être situé y avoir être |
| Autoroute Ville-Marie | 1975 | | Pas d'autoroute souterraine. | |
| Premier Festival de jazz (dans le Vieux-Port) | 1980 | | Pas de grands festivals. | |
| Pont Champlain | Années 1950 | | Pont Victoria, pont Jacques-Cartier, traversier. | |
| Place Ville-Marie (un des premiers gratte-ciel de Montréal) | 1962 | | Pas de grands gratte-ciel. | |
| Maison de Radio-Canada | 1975 | | Quartier: Faubourg-à-la-mélasse (usine de mélasse au début du siècle), quartier ouvrier. | |
| Ministère de l'Éducation | 1964 | | Grand rôle de l'Église, département de l'Instruction publique. | |
| Métro de Montréal | 1966 | | Transport par autobus et tramway seulement (jusqu'à la fin des années 1950.) | |
| Île Notre-Dame (création de l'île pour accueillir Expo 67) | 1967 | | Espace occupé par le fleuve. | |
| Stade olympique (plus d'un milliard de dollars) | 1976 | | Golf municipal, parc de Maisonneuve (plus grand). | |
| Tour du Stade olympique (plus de 100 millions de dollars) | 1987 | | | |
| Palais de justice | Fin des années 1960 | | Vieux Palais de justice (à côté). | |
| La Ronde | 1967 | | Parc Belmont (Cartierville). | |

*Passé composé et imparfait*

CAPSULE GRAMMATICALE

1. La voix passive du passé composé est souvent utilisée pour mettre en évidence un élément de la phrase.

    **Exemple:** La Ronde a été inaugurée en 1967.
    L'important n'est pas de savoir **qui** a inauguré la Ronde, mais **qu'elle a été inaugurée.**
    Voix passive à la 3ᵉ personne

| | NOM SINGULIER + | A ÉTÉ + | PARTICIPE PASSÉ (accordé) |
|---|---|---|---|
| **Exemple:** | La Ronde | a été | inaugurée en 1967. |
| | NOM PLURIEL + | ONT ÉTÉ + | PARTICIPE PASSÉ (accordé) |
| **Exemple:** | Ses ponts | ont été | démolis. |

2. L'imparfait est souvent utilisé pour décrire l'état de choses qui existait avant le fait évoqué au passé composé.

    **Exemple:** La Maison de Radio-Canada a été inaugurée en 1975. Avant ça, il y avait un quartier à cet endroit.

Complétez les blancs à l'aide de verbes conjugués au passé composé ou à l'imparfait, à la forme active ou à la forme passive selon le cas.

1. Le palais de justice _____ à la fin des années 60. Le vieux palais

    de justice _____.

2. _____ a été inaugurée en 1975. Ce quartier, qui a été _____

    _____ pour construire le gratte-ciel, _____

    le Faubourg-à-la-mélasse. _____ un quartier ouvrier.

3. Le premier festival de jazz _____ 1980. Avant cela, _____

    _____ à Montréal.

4. Le ministère de l'Éducation _____ en 1964. Avant sa création,

    l'Église _____ un rôle très important dans le domaine de l'édu-

    cation. Elle _____ ce rôle depuis que le ministère de l'Éduca-

    tion existe.

5. Le stade olympique, qui _____ plus de 100 millions de dollars,

    _____ en 1976, pour les jeux olympiques qui _____

    _____ cette année-là. Avant cela, _____.

6. Le pont Champlain _____ en 1950. Auparavant, _____

    _____ le pont Victoria et le pont Jacques-Cartier.

**Objectifs grammaticaux**

- Passé composé et imparfait
- Expressions relatives au temps

**Objectif de communication**

- Raconter une aventure au passé.

# 24

# Québec-Tahiti: l'aventure d'une famille*

## Portrait de la famille

Maman : Dominique
Papa : Hugues
Enfants : Damien (10 ans), Évangéline (12 ans) et les jumelles : Sandrine et Noémi (5 ans)

A. Racontez le voyage de cette famille, au passé, selon les renseignements donnés ci-dessous. Vous pouvez utiliser les verbes suggérés dans la colonne de droite.

| TRAJET |
| --- |
| **11 octobre 1989** |
| Montréal (descente du fleuve) |
| Trois-Rivières |
| Québec |
| **14 octobre** |
| Rivière-au-Renard 800 kilomètres |
| **15 octobre** |
| Port Hawkesbury (Nouvelle-Écosse) |
| **27 octobre** |
| Direction les Açores (dauphins) |
| Flores (visite de l'île ; accident : la quille du bateau heurte le fond.) |
| Île Faial (tempête) |

| Avec l'auxiliaire *être* |
| --- |
| partir |
| aller |
| arriver |
| revenir |
| monter |
| descendre |
| se promener |
| se baigner |
| s'amuser |
| s'arrêter |

| Avec l'auxiliaire *avoir* |
| --- |
| parcourir |
| prendre |
| voir |
| visiter |
| (y) avoir |
| heurter |
| faire |
| marcher |

\* Renseignements tirés et adaptés de *La V'limeuse autour du monde*, Groupe nautique Grand Nord et Bas-Saint-Laurent, 1995.

B. Décrivez les îles Açores d'après les renseignements ci-dessous en utilisant l'imparfait. Travaillez en équipes.

### ☀ Îles Açores ☀

Plantations de thé.
Géographie : terrain accidenté, falaises au bord de la mer, montagnes.
Habitants : sympathiques, chaleureux.
Port : beaucoup de mouvement, belle atmosphère.

C. D'après les renseignements ci-dessous, décrivez la vie de la famille à bord du bateau. Utilisez l'imparfait.

**La vie à bord**
Pêche (Damien).
Études (les enfants).
Cuisine (à tour de rôle).
Lecture (Évangéline).
Journal (Évangéline).
Conduite du bateau (tout le monde).
Baignade.
Entretien du bateau.

D. Racontez la deuxième partie du voyage en utilisant le passé composé. Écrivez tous les verbes. Travaillez en équipes de deux.

28 novembre
(en bateau à moteur)

Madère (séjour de quelques jours, randonnées à pied)

Îles Canaries

Île de la Martinique (4 260 kilomètres)

Vents tombés

Température à la hausse

Bateau amarré 2 jours

Baignade en mer

29 janvier

Arrivée aux Antilles (visite de plusieurs îles)

Fort-de-France (courrier, rencontre d'autres enfants)

Île Margarita (Vénézuela)

Rencontre d'autres Québécois

Panama

Quinze jours d'attente pour traverser le canal

Lavage du bateau

Tempête / orage: pas de dommages

Remplissage de bols d'eau

Requins

## Six mois plus tard

Les Galapagos

## Neuf mois plus tard

Tahiti

# Journal d'Évangéline à Tahiti

Complétez les blancs avec des verbes aux temps appropriés du passé. Utilisez les verbes suggérés dans la colonne de droite.

## 25 juillet

Ce matin, nous _____ nos amis qui pêchaient sur les rochers.

Cet après-midi, nous _____ dans l'eau.

C'_____ très amusant.

*rencontrer, jouer, être, pêcher*

## 28 juillet

Ce matin, nous_____ peur. L'ancre _____ coincée

dans le corail. Finalement, nous_____ à la relever. Je suis sûre que

nous_____ de la chance.

*avoir/être, réussir, avoir*

## 31 juillet

Vers 10 heures, nous _____ tranquillement. Nous, les quatre enfants,

nous _____ du pouce et les parents _____. Le repas ____

_____ sublime: poisson frit, patates douces. Après, nous _____

_____ chez un Français qui _____ un grand jardin pour écouter un

vidéo. C'_____ un film d'Anglais et d'Indiens. J'_____ une

très belle soirée.

*partir, faire, marcher/être, aller, avoir, être, passer*

## 1er août

Aujourd'hui, j'_____ deux filles de mon âge et

nous _____ ensemble.

*rencontrer, jouer*

## 3 août

Ce matin, il pleut encore. Je _____ très tôt. J'_____ Le

crime de l'Orient-Express qu'un bateau m'_____ contre un autre livre.

Nous pensons partir demain pour la baie des Vierges.

*se réveiller, lire, échanger*

---

**121**   *Passé composé et imparfait*

**Objectifs grammaticaux**

- Imparfait, passé composé, présent
- *Avant* + imparfait
- *Mais* + passé composé
- *Maintenant* + présent

**Objectif de communication**

- Faire le point sur une situation passée.

# 25

## Avant, mais maintenant...

En équipes de deux, répondez oralement aux questions en suivant les exemples. Puis écrivez vos réponses.

1. **Avant + IMPARFAIT, *maintenant* + PRÉSENT**
   ***Exemple :***
   — Nicole est toujours au chômage ?
   — Non, ça c'<u>était</u> **avant**. Avant, elle était au chômage, **maintenant** elle <u>a</u> un bon travail.
   — Ah bon, je ne savais pas.

   1. Sylvie **est** toujours célibataire ?

   _____

   2. Tu **fais** toujours du jogging le matin ?

   _____

   3. Alors, vous **travaillez** le soir, non ?

   _____

   4. Tu **prends** toujours le métro pour aller au travail ?

   _____

   5. Ton fils **est** toujours à Montréal ?

   _____

   6. Tu **habites** toujours sur la rue Drolet ?

   _____

   7. Tu **fais** toujours de la cuisine mexicaine ?

   _____

   8. Tu **prends** tes vacances durant l'hiver, c'est bien ça ?

   _____

   9. Tu **vas** au cinéma très souvent ?

   _____

---

10. Tu **fais** toujours de la photographie ?

_____

11. Vous **faites** toujours du théâtre ?

_____

12. Carlos **donne** toujours des cours d'espagnol ?

_____

13. _____

_____

14. _____

_____

2. *Avant* + IMPARFAIT (situation) / PASSÉ COMPOSÉ (explication de la situation)
   *Exemple*:
   — Simon <u>prend</u> ses vacances avec Tomas ?
   — Non, ça c'<u>était</u> **avant**. **Avant** il <u>prenait</u> ses vacances avec Tomas.
   — **Qu'est-ce qui** <u>s'est passé</u> ?
   — Tomas <u>a quitté</u> le Québec.
   — Ah bon, je ne savais pas.

1. Tu **amènes** toujours ta fille au cours de danse ?

_____

2. Vous **allez** toujours au marché Jean-Talon ?

_____

3. Tu **travailles** toujours à temps partiel ?

_____

4. Tu **fais** du tennis près de chez toi ?

_____

5. Tu **vas** toujours au cinéma le mardi ?

_____

6. Vous **prenez** toujours votre verre de lait le matin ?

_____

7. Tu **travailles** toujours comme plombier ?

_____

8. Tes plantes **sont** toujours belles ?

_____

9. Ton chat **mange** toujours de la nourriture Félix ?

_____

10. Tes amis **font** encore de la rénovation dans leur maison ?

_____

11. Tu **vas** au centre sportif une fois par semaine ?

_____

12. Tu **te lèves** toujours à 5 heures le matin ?

_____

13. _____

_____

14. _____

_____

3. **_Avant_ + IMPARFAIT • _mais_ + PASSÉ COMPOSÉ • _maintenant_ + PRÉSENT**
   **_Exemple_:**
   — Pierre travaille toujours au bureau de poste ?
   — Non, ça c'<u>était</u> **avant**. Avant il <u>travaillait</u> au bureau de poste, **mais** il <u>a changé</u> de travail. **Maintenant**, il <u>travaille</u> chez un concessionnaire.
   — Ah bon, je ne savais pas.

   1. Les Ayoub **demeurent**-ils à Toronto ?

   _____

   2. Ta voisine **a** toujours ses trois chats et ses cinq chiens ?

   _____

   3. Il **faut** envoyer une lettre pour avoir cette information ?

   _____

   4. Paul **fait** toujours partie d'un orchestre de jazz ?

   _____

5. Rémi et Nicole **vivent** toujours dans leur vieille maison ?

_____

6. Nicole **a** un voilier à Sainte-Anne ?

_____

7. Tu **as** toujours ta petite camionnette ?

_____

8. Jérôme **voyage** toujours à Québec pour son travail ?

_____

9. Tu **étudies** toujours le chinois ?

_____

10. Tu **collectionnes** des timbres ?

_____

11. Tu **vas** à la campagne tous les dimanches ?

_____

12. Alors, tu **continues** à fumer ?

_____

_Passé composé et imparfait_

# Tableau I

Complétez le tableau avec des verbes au présent, au passé composé ou à l'imparfait, selon le cas.

| Présent | Passé composé | Imparfait |
|---|---|---|
| *Exemple :* je bois | j'ai bu | je buvais |
| 1. nous attendons | | |
| 2. | vous avez compris | |
| 3. tu chantes | | |
| 4. | | ils voyaient |
| 5. | j'ai fait | |
| 6. | | je visitais |
| 7. c'est | | |
| 8. | nous avons pris | |
| 9. | | il répondait |
| 10. il écoute | | |
| 11. | tu as été | |
| 12. | | il aidait |
| 13. | j'ai mis | |
| 14. nous dormons | | |
| 15. | vous avez acheté | |
| 16. | | j'aimais |
| 17. | nous avons eu | |
| 18. il conduit | | |
| 19. | vous avez vendu | |
| 20. | | vous commandiez |
| 21. je lis | | |

# Tableau 2

Complétez le tableau avec des verbes au passé composé à la forme affirmative, comme dans l'exemple.

| 1ʳᵉ personne du pluriel nous | 2ʳᵉ personne du pluriel vous | 1ʳᵉ personne du singulier je / j' |
|---|---|---|
| **Exemple :** nous avons bu | vous avez bu | j'ai bu |
| 1. | vous êtes sortis | |
| 2. | | j'ai fait |
| 3. | vous avez compris | |
| 4. nous sommes arrivés | | |
| 5. nous avons fait | | |
| 6. | vous avez déménagé | |
| 7. | | j'ai lu |
| 8. | | je suis allé |
| 9. nous avons invité | | |
| 10. | vous avez décidé | |
| 11. | | j'ai eu |
| 12. | vous êtes venus | |
| 13. | | je suis resté |
| 14. nous sommes partis | | |
| 15. nous avons dormi | | |
| 16. | vous avez écrit | |
| 17. | | j'ai dit |

# Tableau 3

Complétez le tableau à l'aide du participe passé, de l'infinitif ou du verbe conjugué soit au futur proche, soit au passé composé. Suivez les exemples.

| Participes passés | Infinitifs | Verbes conjugués |
|---|---|---|
| *Exemple* : lu | lire | j'ai lu |
| *Exemple* : écrit | écrire | je vais écrire |
| 1.   conduit | | j'ai |
| 2.   mis | | tu vas |
| 3. | aller | je suis |
| 4.   vendu | | nous avons |
| 5. | être | vous avez |
| 6.   compris | | tu vas |
| 7.   rentré | | on va |
| 8. | faire | ils ont |
| 9.   aimé | | tu vas |
| 10.  descendu | | il est |
| 11. | retourner | nous sommes |
| 12.  voulu | | j'ai |
| 13. | décider | nous allons |
| 14. | amener | vous avez |
| 15. | dire | ils ont |
| 16.  acheté | | on va |
| 17.  loué | | on a |
| 18. | manger | vous allez |

Tableau d'entraînement

**Passé composé**
- Verbes pronominaux et non pronominaux
- Formes affirmative et négative

# Tableau 4

Complétez le tableau avec des verbes pronominaux (colonne de gauche) ou non pronominaux, suivis d'un objet (colonne de droite), et conjugués au passé composé. Suivez l'exemple.

| Verbes pronominaux | Verbes non pronominaux |
|---|---|
| Je *me* suis lavé. | J'ai lavé *la voiture*. |
| 1. Nous nous sommes excusés. | |
| 2. | Vous avez promené le chien. |
| 3. | Il a amusé les amis. |
| 4. Je me suis énervée. | |
| 5. Vous vous êtes renseignés. | |
| 6. | On a inscrit les enfants à l'école. |
| 7. | J'ai couché les enfants. |
| 8. Ils se sont préparés pour le voyage. | |
| 9. | Nous avons réveillé nos invités. |
| 10. Il s'est regardé dans le miroir. | |
| 11. | J'ai levé les bras. |
| 12. | J'ai changé le billet. |
| 13. Vous vous êtes blessés. | |
| 14. On s'est habillés. | |
| 15. | Vous avez baigné le chat. |

# Tableau 5

A. Complétez chaque ligne du tableau avec des participes passés à terminaison particulière.

| | | | | | |
|---|---|---|---|---|---|
| 1. parti | | | | fini | |
| 2. rentré | | | retourné | | |
| 3. lu | | | | vu | |
| 4. | acheté | | | | |
| 5. | décidé | | | | |
| 6. dit | | | écrit | | |
| 7. | descendu | | | attendu | |
| 8. | ouvert | | | | couvert |
| 9. | éteint | | | | |
| 10. | | compris | | | |

B. Classez les verbes suivants en cinq groupes d'après la terminaison de leurs participes passés. Écrivez les participes passés dans les colonnes prévues à cette fin.

| | | | | | |
|---|---|---|---|---|---|
| prendre | aller | naître | comprendre | saluer | écrire |
| venir | lire | apprendre | aider | décider | voir |
| tenir | écouter | faire | être | découvrir | polir |
| offrir | accepter | sentir | descendre | conduire | choisir |
| finir | travailler | **mettre** | acheter | vendre | permettre |

| -is | -é | -u | -i | -t |
|---|---|---|---|---|
| *Exemple :* mis | | | | |
| 1. | | | | |
| 2. | | | | |
| 3. | | | | |
| 4. | | | | |
| 5. | | | | |
| 6. | | | | |
| 7. | | | | |
| 8. | | | | |

 *Passé composé et imparfait*

**Passé composé**
- Auxiliaires *avoir* et *être*
- Formes affirmative et négative

# Tableau 6

Complétez le tableau avec des verbes conjugués au passé composé à la forme affirmative ou à la forme négative, selon le cas. Suivez l'exemple.

| Forme affirmative | Forme négative |
|---|---|
| *Exemple* : nous avons appris | nous n'avons pas appris |
| 1.  ils sont arrivés |  |
| 2. | je n'ai pas bu |
| 3. | je ne me suis pas levé |
| 4.  tu as compris |  |
| 5.  il a fait |  |
| 6. | il n'est pas venu |
| 7.  je me suis promené |  |
| 8.  il a dit |  |
| 9. | on n'a pas compris |
| 10. | vous n'avez pas aimé |
| 11.  tu t'es dépêché |  |
| 12. | il n'a pas répété |
| 13.  nous nous sommes endormis |  |
| 14. | je ne suis pas rentrée |
| 15.  ils ont lu |  |
| 16.  vous vous êtes renseignés |  |
| 17.  j'ai attendu |  |
| 18.  vous avez mangé |  |
| 19. | vous n'avez pas fait |

**131**

# Tableau 7

Complétez le tableau avec des verbes conjugués au présent, au passé composé ou à l'imparfait à la forme négative, selon le cas. Suivez l'exemple.

| Présent | Passé composé | Imparfait |
|---|---|---|
| **Exemple :** je n'ai pas | je n'ai pas eu | je n'avais pas |
| 1.  nous ne sortons pas | | |
| 2. | il n'a pas fait | |
| 3. | | je ne pouvais pas |
| 4. | nous n'avons pas lu | |
| 5.  on n'écoute pas | | |
| 6. | | il n'était pas |
| 7. | on n'a pas essayé | |
| 8.  je ne me couche pas | | |
| 9. | | il n'attendait pas |
| 10. | nous n'avons pas été | |
| 11. | je ne me suis pas reposé | |
| 12.  il ne vient pas | | |
| 13. | vous n'avez pas conduit | |
| 14. | | on ne dormait pas |
| 15. | ils ne se sont pas baignés | |
| 16.  il ne pleut pas | | |
| 17. | je n'ai pas vu | |
| 18. | tu n'es pas sorti | |
| 19. | | il ne connaissait pas |
| 20.  on ne veut pas | | |
| 21. | on n'a pas appris | |

# Tableau 8

Complétez le tableau en choisissant l'auxiliaire approprié, comme dans l'exemple.

| Pronoms | Auxiliaires | Participes passés |
|---|---|---|
| **Exemple :** Je | suis | allé |
| 1. Vous | | venus |
| 2. Il | | mangé |
| 3. Nous nous | | couchés |
| 4. Je/J' | | donné |
| 5. Elles | | vendu |
| 6. Vous | | téléphoné |
| 7. Je me | | promené |
| 8. Vous | | restés |
| 9. Je | | descendu |
| 10. Vous vous | | servis |
| 11. Elle | | compris |
| 12. Ils | | appris |
| 13. Nous | | pu |
| 14. Nous | | devenus |

# Tableau 9

Complétez le tableau en conjuguant les verbes à la deuxième personne du singulier au présent et à l'imparfait, comme dans l'exemple.

| Infinitif | Présent | Imparfait |
|---|---|---|
| **Exemple :** attendre | nous attendons | j'attendais |
| 1. boire | nous | je |
| 2. écrire | nous | tu |
| 3. répondre | nous | vous |
| 4. voir | nous | il |
| 5. marcher | nous | ils |
| 6. lire | nous | vous |
| 7. acheter | nous | j' |
| 8. conduire | nous | nous |
| 9. choisir | nous | elles |
| 10. connaître | nous | tu |
| 11. décider | nous | ils |
| 12. avoir | nous | j' |
| 13. entrer | nous | on |
| 14. finir | nous | vous |
| 15. tomber | nous | tu |
| 16. comprendre | nous | elle |
| 17. partir | nous | nous |
| 18. se promener | nous | elles |
| 19. offrir | nous | on |
| 20. devoir | nous | je |
| **Exception :** être | nous | nous |

# Tableau 10

Complétez le tableau en mettant les phrases à la voix active ou à la voix passive, comme dans les exemples.

| Voix active | Voix passive |
|---|---|
| **Exemple :** La tempête a paralysé les transports. | Les transports ont été paralysés par la tempête. |
| 1. Le feu a détruit les quatre bâtiments. | |
| 2. | Les voleurs ont été arrêtés par la police. |
| 3. On a fermé le tunnel Ville-Marie. | |
| 4. | La voiture a été saisie |
| 5. Le juge a convoqué les témoins. | |
| 6. Quelqu'un a commis un vol à main armée. | |
| 7. | Les câbles électriques ont été brisés par le vent. |
| 8. La police a entrepris une enquête. | |
| 9. L'enquêteur a interrogé le suspect. | |
| 10. | Une grande région a été dévastée par les flammes. |
| 11. On a trouvé le tableau volé | |
| 12. | La délégation étrangère a été reçue par le premier ministre. |
| 13. On a signalé la défectuosité. | |

**135**

# 4 Futur simple

## Table des matières

| Page | Activités | Objectifs grammaticaux | Objectifs de communication |
|------|-----------|------------------------|----------------------------|
| 155 | 9. Voyages | Futur simple<br>Hypothèse : *si* + présent, + futur simple | Exprimer une relation de cause à effet. |
| 157 | 10. Faits divers | Futur simple | Rapporter une nouvelle au futur. |
| 159 | 11. Horoscopes | Futur simple | Faire une prédiction. |
| 161 | 12. Sujets d'actualité | Futur simple<br>Voix passive | Rapporter une nouvelle au futur. |
| 163 | 13. Titres d'articles de journaux | Futur simple<br>Verbes auxiliaires + infinitif<br>Voix passive | Rapporter une nouvelle au futur.<br>Développer les éléments d'information relatifs à un fait. |
| 166 | 14. Nouvelles | Futur simple | Rapporter une nouvelle au futur. |
| 167 | 15. Entrevue | Futur simple<br>Forme interrogative | Interroger une personne sur des faits à venir.<br>Répondre à des questions concernant des faits à venir. |
| 168 | 16. Marché Bonsecours | Futur simple | Exprimer une idée au futur. |

## Tableaux d'entraînement

| Page | Activités | Objectifs grammaticaux |
|------|-----------|------------------------|
| 169 | Tableau 1 | Les expressions relatives au temps |
| 170 | Tableau 2 | Futur simple<br>Verbes irréguliers |
| 171 | Tableau 3 | Futur simple de verbes irréguliers<br>Radicaux et terminaisons |
| 172 | Tableau 4 | Futur simple<br>Hypothèse : si + le présent + futur simple |
| 173 | Tableau 5 | Futur simple<br>Voix passive<br>Formes affirmative et négative |
| 174 | Tableau 6 | Futur simple<br>Formes affirmative et négative<br>Pronoms personnels |

# Tableau grammatical

## *Futur simple*

### Formation

1. **Verbes en -ER**
Radical singulier de l'indicatif présent + terminaison du futur.

   ***Exemple :*** mange

   | écrite | prononcée |
   |--------|-----------|
   | RAI  | re |
   | RAS  | ra |
   | RA   | ra |
   | RONS | rɔ̃ |
   | REZ  | re |
   | RONT | rɔ̃ |

2. **Verbes en -R**
Infinitif + terminaisons du futur (sans répéter le **r**).

   ***Exemple :*** fini

   RAI
   RAS
   RA
   RONS
   REZ
   RONT

3. **Verbes en -RE**
Infinitif sans E + terminaisons du futur (sans répéter le **r**)

   ***Exemple :*** croi

   RAI
   RAS
   RA
   RONS
   REZ
   RONT

4. **Exceptions**

**VRA**

|            |         |   | RAI  |
|------------|---------|---|------|
|            |         |   | RAS  |
| devoir :   | DEV     | + | RA   |
| recevoir : | RECEV   |   | RONS |
|            |         |   | REZ  |
|            |         |   | RONT |

**RRA**

| pouvoir :  | POUR   |   | RAI  |
|------------|--------|---|------|
| courir :   | COUR   |   | RAS  |
| mourir :   | MOUR   | + | RA   |
| acquérir : | ACQUER |   | RONS |
| voir :     | VER    |   | REZ  |
| envoyer :  | ENVER  |   | RONT |

**IENDRA**

|           |         |   | RAI  |
|-----------|---------|---|------|
| venir :   | VIEND   |   | RAS  |
| devenir : | DEVIEND | + | RA   |
| tenir :   | TIEND   |   | RONS |
| obtenir : | OBTIEND |   | REZ  |
|           |         |   | RONT |

**DRA**

|           |       |   | RAI  |
|-----------|-------|---|------|
| vouloir : | VOUD  |   | RAS  |
| falloir : | FAUD  | + | RA   |
| valoir :  | VAUD  |   | RONS |
|           |       |   | REZ  |
|           |       |   | RONT |

**AURA**

|          |     |   | RAI  |
|----------|-----|---|------|
|          |     |   | RAS  |
| avoir :  | AU  | + | RA   |
| savoir : | SAU |   | RONS |
|          |     |   | REZ  |
|          |     |   | RONT |

| *Faire* : | FE | terminaisons du futur |
|-----------|----|------------------------|
| *Être* :  | SE | terminaisons du futur |
| *Aller* : | I  | terminaisons du futur |

*Futur simple*

# *1* Décisions

Complétez les affirmations suivantes à l'aide d'une idée exprimant un fait futur en relation avec le fait passé, comme dans l'exemple.

### *Exemple:*

Cette année, nous sommes allées au bord de la mer, mais l'année prochaine nous irons à la montagne.

1. Cet hiver nous sommes restés à Montréal, mais

_____

2. Dimanche passé nous avons fait une promenade dans le bois, mais

_____

3. L'année passée je me suis inscrit à un cours de chinois mandarin, mais

_____

4. La fin de semaine passée il a reçu ses amis, mais

_____

5. L'automne dernier nous avons loué une maison à la campagne, mais

_____

6. Le mois passé nous avons acheté une carte mensuelle de transport, mais

_____

7. Samedi passé des amis sont venus à la maison, mais

_____

8. Vendredi passé, on est allés au théâtre, mais

_____

9. À Pâques nous avons visité la parenté à Hull, mais

_____

10. La semaine passée nous avons organisé la réunion dans la salle C, mais

_____

CAPSULE GRAMMATICALE

1. Le futur est souvent utilisé en combinaison avec le passé composé pour marquer la différence entre un fait passé et un fait futur.

2. Voici des expressions relatives au temps:

a) qui évoquent un fait passé
   - l'année passée
   - l'hiver dernier
   - cet hiver (passé)
   - cet été (passé)
   - il y a x temps
   - à Noël (à Pâques, à l'Action de grâce, etc.)

b) qui évoquent un fait futur
   - l'année prochaine
   - l'hiver prochain
   - cet hiver (l'hiver à venir)
   - cet été (l'été à venir)
   - dans x temps
   - à Noël (à Pâques, à l'Action de grâce, etc.)

*Futur simple*

**Objectifs grammaticaux**
- Futur simple
- Verbes *faire, avoir, être*

**Objectif de communication**
- Faire des prévisions météorologiques.

# 2 Météo

Regardez les cartes du Québec correspondant à chaque saison. Dites quelles sont les prévisions météorologiques dans chaque cas. Utilisez des verbes au futur simple et les expressions relatives au temps proposées dans l'encadré.

| | | |
|---|---|---|
| durant la journée<br>pendant la journée<br>dans le courant de la journée | plus tard en matinée<br>vers la fin de l'après-midi<br>demain (matin, soir,<br>après-midi) | après demain<br>cette nuit (à venir)<br>ce soir |

## 1. HIVER

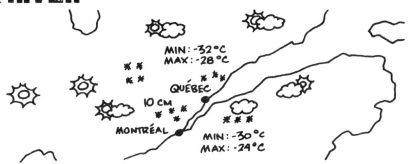

verglas — de la neige — pluie verglaçante — averses dispersées — de la pluie — température agréable — faible neige — ciel couvert — rafales de vents de 30 à 60 km/h

**Bulletin météo : Demain,**

_____

_____

_____

## 2. PRINTEMPS

ensoleillé — venteux — ciel dégagé — température agréable — température à la hausse — probabilité de pluie en soirée

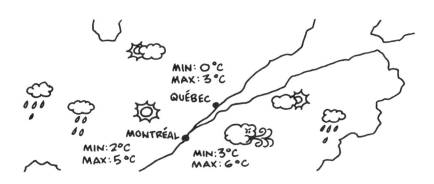

**Bulletin météo : Demain,**

_____

_____

_____

## 3. ÉTÉ

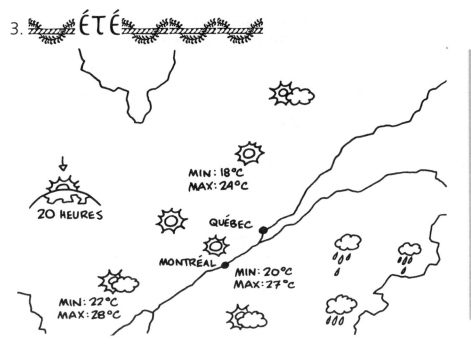

chaud — humide — averses dispersées pendant la matinée — agréable — percées de soleil — le Soleil se couche à 20 heures

**Bulletin météo : Demain,**

_____

_____

_____

## 4. AUTOMNE

nuagueux — ensoleillé — beau — froid — humide — frais — chaud — accumulation de 10 cm — venteux — ciel dégagé — température à la hausse — grésil

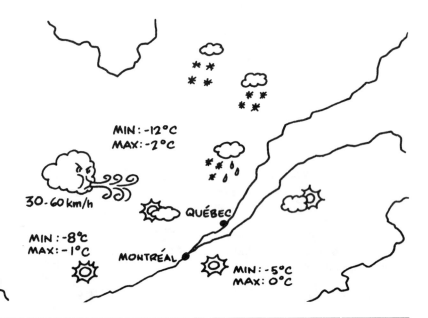

**Bulletin météo : Demain,**

_____

_____

_____

# 3

# Promesses

## 1. Colonie de vacances

Claude part en colonie de vacances. Ses parents lui donnent leurs recommandations avant le départ. L'enfant leur fait des promesses. Faites parler Claude, en utilisant le futur simple et les expressions proposées dans l'encadré.

| | | |
|---|---|---|
| Je te / vous promets que... | Tu peux me faire confiance, je... | Je te jure que... |
| Tu peux être sûr que... | Tu ne dois pas t'inquiéter, je... | Tu as ma parole que... |

### Promesses et recommandations

*Obéir aux moniteurs.*
*Être sage.*
*Appeler à la maison deux fois par semaine.*
*Se brosser les dents avant de se coucher.*
*Suivre les indications des moniteurs.*
*Être prudent.*
*Toujours rester avec le groupe.*
*Ne pas dire de gros mots.*
*Être aimable avec les autres enfants.*

## 2. Une adolescente difficile

Olga, une adolescente difficile de 15 ans, fait des promesses à ses parents. À chaque reproche de son père ou de sa mère, Olga formule une promesse au futur simple, comme dans l'exemple. Avec un ou une partenaire, jouez la scène.

***Exemple :*** Tu ne fais jamais tes devoirs.

Je vous promets que je **ferai** mes devoirs.

1. Ta chambre est toujours en désordre, tout traîne !
2. Tu t'absentes souvent de l'école et nous ne savons pas où tu vas.
3. Tu prends toujours la voiture sans demander la permission.
4. Tu amènes des amis à la maison et vous videz le réfrigérateur.
5. T'es au téléphone plusieurs heures chaque jour !
6. Tu fais des interurbains, mais c'est nous qui les payons.
7. Tu nous as demandé de t'acheter un abonnement de ski, mais tu n'y vas jamais. C'est de l'argent jeté par les fenêtres.
8. Tes professeurs se plaignent. Qu'est-ce que tu fais à l'école ?
9. Où sont les vêtements neufs que nous t'avons achetés il y a moins de 15 jours ?
10. Ton travail, à la maison, c'est de tondre le gazon une fois par semaine et de sortir la poubelle, mais tu ne le fais jamais.

3. Rémi, un adolescent de 17 ans, emprunte la voiture de ses parents. Avant de partir, il fait des promesses rassurantes à sa mère. Faites parler Rémi..

### Promesses

Ne pas conduire trop vite.
Ne pas boire d'alcool avant de conduire.
Être prudent.
Respecter la signalisation.
Ne pas prêter la voiture à ses copains.
Respecter les limites de vitesse.
Ne pas rentrer trop tard.
Ne pas embarquer plus de quatre personnes.

4. Une personne qui fait des abus, décide d'améliorer sa condition physique. Faites parler cette personne, puis écrivez les résolutions qu'elle s'engage à prendre.

### Résolutions

Faire de l'exercice.
Ne pas manger gras.
Marcher deux km chaque jour.
Manger des légumes.
Fumer moins.

Boire moins d'alcool.
Dormir huit heures chaque jour.
Avoir une vie rangée.
Éviter les boissons gazeuses.

## Résolutions !

1.

2.

3.

4.

5.

6.

7.

8.

9.

10.

 *Futur simple*

**Objectifs grammaticaux**

- Futur simple
- Expressions: *nous nous engageons à*, *je vous assure que* + futur, etc.

**Objectif de communication**

- Formuler une promesse formelle.

# 4    Discours de politiciennes et de politiciens

A. Voilà quelques déclarations entendues sur la scène politique. Lisez-les et discutez-en en équipes. Soulignez les verbes au futur ainsi que les autres éléments indiquant qu'il s'agit d'un fait futur.

Dans un an, nous ramènerons le déficit à zéro.

Nous nous engageons à couper dans les budgets de l'administration publique.

Si c'est nécessaire, nous investirons dans la recherche.

Je vous assure que, d'ici un an, il n'y aura plus de coupures dans les services de santé.

B. À partir des sujets ci-dessous, inventez des énoncés évoquant des faits futurs et des promesses que des politiciens pourraient prononcer à l'occasion d'une campagne électorale. Utilisez les expressions suggérées dans l'encadré.

| | |
|---|---|
| Je te (vous) promets que... | Tu as (vous avez) ma parole que... |
| Je t' (vous) assure que... | Tu peux (vous pouvez) me faire confiance... |
| Je te (vous) jure que... | Tu ne dois (vous ne devez) pas t' (vous) inquiéter, je... |
| Tu peux (vous pouvez) avoir la certitude que... | Rassure-toi (rassurez-vous), je... |
| Tu peux (vous pouvez) être sûr (sûrs) que... | Je ne *[verbe au futur]* plus... |

1. Les taxes

_____

2. Les sans-abri

_____

3. Les REER[1]

_____

4. Les abris fiscaux

_____

5. La défense nationale

_____

---

1. Régime enregistré d'épargne et retraite.

6. Les avions militaires

_____

7. Les armes à feu des particuliers

_____

8. L'avortement

_____

9. L'aide sociale

_____

10. L'immigration

_____

11. Les services de garde

_____

12. Le système scolaire

_____

13. Le travail au noir

_____

14. Les profits des banques

_____

15. Les impôts des particuliers

_____

16. Les impôts des grandes entreprises

_____

17. Les taux d'intérêt

_____

18. Le chômage

_____

19. La formation de la main-d'œuvre

_____

**Objectifs grammaticaux**

- Futur simple
- Expressions relatives au temps : *après ça, à la suite de ça, le lendemain, puis, ensuite, dans* x *jours*

**Objectif de communication**

- Donner des informations au futur.

# Des nouvelles du Québec

Deux jeunes Françaises, en vacances au Québec, vont entreprendre un tour du Québec à bicyclette. Avant le grand départ, elles téléphonent à leurs amis français et leur expliquent leur emploi du temps de la semaine.

1. Lisez les renseignements sur le Grand Tour donnés dans le dépliant, et inventez un dialogue entre les cyclistes et leurs amis.

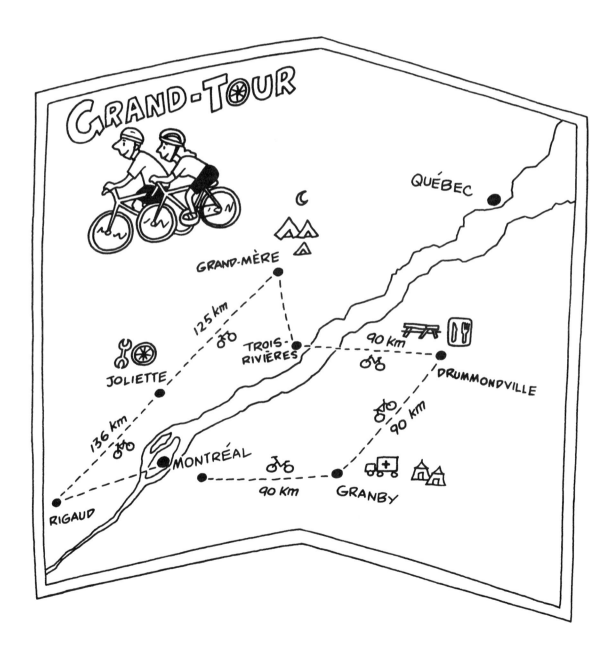

2. Lisez le texte, puis cochez la bonne réponse.

## Des vacances amusantes et énergisantes

**MÉTRO**
présente
LE
GRAND TOUR
du 3 au 10 août 1996
Soif d'aventure

LE GRAND TOUR EST DE RETOUR ET ANNONCE SES COULEURS SUR FOND DE BLEU. BLEU CIEL ET BLEU MER, AVEC PLUS DE 700 KM EN HUIT JOURS...

Du 3 au 10 août, prenez le large en compagnie de 2 000 personnes et vivez toute une aventure à travers la Montérégie, le Cœur du Québec, la Mauricie, Lanaudière, le Berceau des Laurentides et le Suroit.

Pas besoin d'être un super athlète, ni de carburer aux stéroïdes pour participer au Grand Tour. Vous devez quand même être en mesure de pédaler une moyenne de 90 km par jour, dont deux inoubliables journées défis qui vous attendent aux jours 6 et 7 de l'aventure.

Notre forfait «sous les étoiles» comprend le transport des bagages, sept nuitées en camping (vous fournissez votre tente et votre équipement), douches et toilettes sur les sites, sept petits déjeuners, sept dîners et sept soupers, un t-shirt officiel, l'encadrement sur route et du dépannage mécanique.

(Les personnes intéressées par notre forfait « sous la couette» peuvent prendre connaissance des procédures spéciales d'inscription à l'endos.)

COÛT D'INSCRIPTION
« SOUS LES ÉTOILES »

Coût total  444,05 $ (taxe incluse*)

Dépôt  100 $ (exigible à l'inscription)

Solde  344,05 $ (dû pour le 20 juin 1996)

* Nos prix incluent la TPS. Au moment de mettre sous presse, nous n'avions pas de confirmation officielle que nos forfaits allaient bénéficier d'une exemption de la TVQ comme en 1995.

# Deux mille cyclistes sur la ligne de départ

Deux mille cyclistes sont attendus à Saint-Lambert demain matin pour le départ du deuxième Grand Tour.

5  Cette randonnée de huit jours et 700 kilomètres – un jour de repos est prévu à mi-chemin – s'arrêtera cette année à Saint-Jean-sur-Richelieu, Granby, Magog, Lennoxville, Drummondville, Saint-Hyacinthe et Longueuil. C'est à Magog, mardi, que les participants prendront leur jour de repos, agrémenté d'un
10  méchoui.

Organisé par le Tour de l'île de Montréal, qui fait pédaler une fois l'an 45 000 mortels de tous âges et conditions physiques, le Grand Tour se veut une randonnée plus consistante, qui nécessite un minimum d'entraînement et de forme physique.

15  Comme l'an dernier, la majorité – 65 p. cent – des participants sont des... participants. Les autres, vous l'aurez deviné, sont des participantes. L'aîné, M. Maurice Sylvestre, de Sainte-Adèle, est âgé de 79 ans; le cadet, Thomas-Alexandre Sainte-Marie, a
20  8 ans. Ce sera son deuxième Grand Tour! Les 35-44 ans, qui sont plus de 700 (36,5 p. cent des inscrits), représentent le plus gros contingent, suivis dans l'ordre des 45-54 ans (26 p. cent) et des 25-34 ans (24 p. cent).

25  Participeront également au Grand Tour, sans toutefois pédaler: un bébé d'un an et un chien.

Lors de la première édition, à l'été de 1994, les organisateurs avaient accepté 1150 inscriptions. Ce fut, de l'avis général, un succès étonnant. Cette fois-ci,
30  on a accepté 2000 inscriptions. Les places se sont envolées en trois semaines. Plus de la moitié des participants de l'an dernier sont de retour. Quelque 232 employés et bénévoles accompagneront les cycliste.

35  Comme en 1994, trois forfaits étaient offerts: «sous la tente» (422 $), pour les sportifs; «sous la couette» (642 $), pour les douillets; et «sous la couette plus» (732 $), pour les «moumounes». C'est ce forfait qu'a choisi le reporter de *La Presse*, qui rendra compte quotidiennement des grandeurs et misè-
40  res du Tour.

*Futur simple*

Une caravane motorisée accompagnera les cyclistes. Les camions serviront au transport des 60 tonnes de bagages tandis qu'un minibus, surnommé l'an dernier «l'autobus de la honte», recueillera les ti-cœurs fatigués. Des infirmières s'occuperont des premiers soins à prodiguer aux cyclistes, et des mécanos remplaceront chambres à air crevées et rayons brisés. Des repas attendront tout ce beau monde partout où il daignera s'arrêter.

Le Grand Tour n'étant pas une course, les départs s'échelonnent sur quelques heures, le matin, et les arrivées sur plusieurs heures, l'après-midi. La longueur des parcours varie de 88 kilomètres, demain, à 123 kilomètres, jeudi, entre Lennoxville et Drummondville. Tous les types de vélos – à l'exception peut-être du BMX – seront représentés: du vélo de ville à trois vitesses au vélo de course ultra-sophistiqué, en passant par le vélo de montagne, l'hybride et le tandem.

Le «plus gros braquet» sera sûrement Yannick Cojan, 25 ans. L'ex-champion canadien, l'un des actuels leaders des Mardis cyclistes de Lachine, est rentré d'Europe récemment, où il s'est mesuré aux meilleurs amateurs.

Côté performance, les autres «personnalités», Ghislain «Bob Binette» Taschereau et Pierre «Raymond Beaudoin» Brassard, représentent un gros point d'interrogation tirant sur le bleu poudre.

Le budget de l'édition 1995 du Grand Tour: 1,2 million, dont 80 p. cent vient des inscriptions et 20 p. cent des commandites. L'an dernier, l'événement s'était soldé par un léger déficit. Cette année, l'organisation prévoit faire ses frais.

Paul Roy, *La Presse*, 2 août 1996

|  | Vrai | Faux |
|---|:---:|:---:|
| 1. Il y aura deux jours de repos. | ☐ | ☐ |
| 2. Le reporter de *La Presse* couchera « sous la tente ». | ☐ | ☐ |
| 3. Les cyclistes seront accompagnés d'une caravane motorisée. | ☐ | ☐ |
| 4. La randonnée durera 10 jours. | ☐ | ☐ |
| 5. Des camions transporteront les bagages. | ☐ | ☐ |
| 6. Les participants partiront de Saint-Lambert. | ☐ | ☐ |
| 7. Des infirmières aideront les blessés. | ☐ | ☐ |
| 8. Un chat participera au Grand Tour sans pédaler. | ☐ | ☐ |
| 9. Le premier jour de repos aura lieu à Sherbrooke. | ☐ | ☐ |
| 10. Des bénévoles accompagneront les cyclistes. | ☐ | ☐ |

CAPSULE GRAMMATICALE

1. Le futur simple est parfois utilisé pour exprimer une certaine planification du temps à venir.

2. Voici des expressions relatives au temps:

| Suite chronologique | Références au futur |
|---|---|
| – D'abord | – Dans *x* temps |
| – Ensuite | – Lundi prochain |
| – Puis | – La semaine prochaine |
| – Après ça | – Bientôt |
| – Finalement | – Dans quelque temps |
| – Le premier jour | |
| – Le dernier jour | |
| – Un jour plus tard | |
| – Le lendemain* | |

\* Cette expression peut être utilisée avec d'autres temps verbaux.

*Futur simple*

**Objectifs grammaticaux**

- Futur simple
- Expressions relatives au temps exprimant une série d'actions : *premièrement, après ça, ensuite, plus tard,* etc.

**Objectif de communication**

- Planifier les activités d'une journée.

# Visite de Montréal

1. Vous avez la responsabilité de faire visiter Montréal à un groupe de touristes étrangers qui seront trois jours en ville. Vous préparez un emploi du temps et les endroits à visiter. Vous communiquez votre plan aux personnes du groupe. Voici des éléments qui vous aideront à préparer ce plan. Travaillez en équipes d'abord oralement, puis par écrit.

## Sites d'intérêt
- Parc olympique
- Jardin botanique
- Biodôme de Montréal

## Restaurants
- Nahim - spécialités marocaines
- Au bec fin - restaurant français

## Musées
- Musée des beaux-arts
- Musée de la Pointe-à-Callière

## Promenades
- Vieux Montréal : promenade, balade en calèche, église Notre-Dame, rue de la Commune, port, promenade en bateau, marché aux puces
- Rue Saint-Denis, boutiques, architecture du quartier
- Boulevard Saint-Laurent, boutiques d'alimentation

- Mont-Royal, promenade, vue panoramique de la ville
- Stade olympique et Biodôme de Montréal

## Verbes à utiliser
- visiter
- se promener
- voir
- aller
- manger
- découvrir
- admirer
- prendre (des photos)
- marcher
- acheter
- amener
- arrêter
- conduire
- rencontrer
- attendre
- observer

## 1ᵉʳ JOUR

_____

_____

_____

# 2ᵉ JOUR

_____

_____

_____

# 3ᵉ JOUR

_____

_____

_____

2. Planifiez une visite guidée de Québec. Travaillez en équipes à la préparation de votre plan.

## Sites et activités d'intérêt:

- Vieux-Québec à pied
- Promenade (Citadelle, Place royale)
- Place d'Armes

- Terrasse Dufferin
- Promenade des Gouverneurs
- Rue du Trésor

- Séminaire de Québec
- Grande-Allée : restaurants, terrasses
- Traversier — Lévis

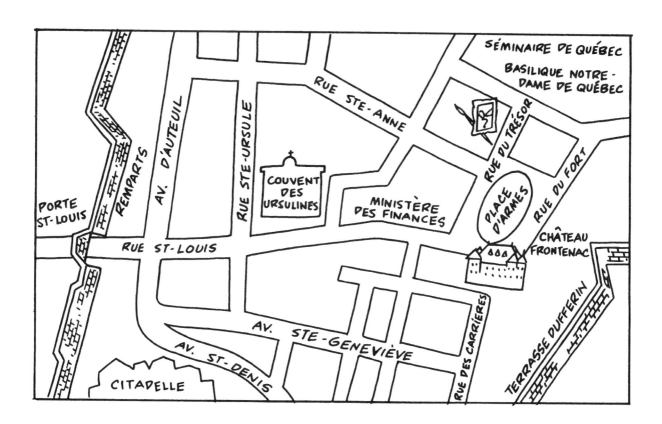

**Objectifs grammaticaux**

- Futur simple
- Expressions introduisant le futur : *peut-être, sûrement, je crois que* + futur, etc.

**Objectif de communication**

- Parler de l'avenir.

# 7 Avenir

Lisez les publicités ci-dessous, orientées vers l'avenir. Et vous, avez-vous pensé à ce que vous ferez dans 20 ans ? D'après les sujets proposés, imaginez ce que sera votre vie alors. Utilisez des verbes au futur simple et les expressions que vous trouverez à la page suivante pour décrire des événements potentiels.

Jamais de ma vie
je n'ai été aussi occupé.
Les enfants grandissent
à vue d'œil.
Ma carrière
est en plein essor.
J'ai des tas de responsabilités.
Maintenant
que j'ai l'argent,
je n'ai plus le temps.
En me couchant le soir,
je me demande :
dans vingt ans,
**quand j'aurai le temps,
aurai-je encore l'argent ?**

Fidelity Investments<sup>MD</sup> Canada

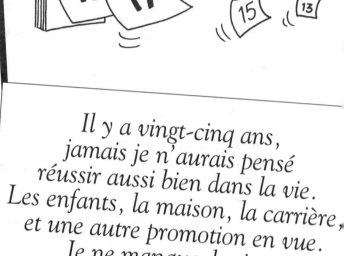

Il y a vingt-cinq ans,
jamais je n'aurais pensé
réussir aussi bien dans la vie.
Les enfants, la maison, la carrière,
et une autre promotion en vue.
Je ne manque de rien,
sauf de temps.
Et dans quelques minutes,
je reprendrai ma course
contre la montre.
**C'est sûr qu'un jour
je trouverai le temps**
de penser à notre avenir financier.
Dès que j'aurai une
minute pour y penser.

Fidelity Investments<sup>MD</sup> Canada

## EXPRESSIONS

| | | |
|---|---|---|
| Peut-être | Je ne pense pas que | |
| Sûrement | C'est presque sûr que | |
| Sans doute | Je ne sais pas si | + FUTUR SIMPLE |
| | | |
| Certainement | Je me demande si | |
| Ce n'est pas sûr | Je crois que | |
| Dans x temps | Un jour | |

## SUJETS

| | |
|---|---|
| enfants | sécurité financière |
| carrière | loisirs |
| maison | santé |
| voyages | activités sociales |
| retraite | |

CAPSULE GRAMMATICALE

1. Le futur simple est souvent utilisé pour exprimer des faits relatifs à un avenir lointain et dont la réalisation reste éventuelle ou incertaine.

2. Voici des expressions relatives au temps, qui expriment des actions éloignées du présent :

| | |
|---|---|
| – Dans 20 ans... | – Je suis à peu près certain que... |
| – D'ici là... | – Je sais que... |
| – À ce moment-là... | – Je ne sais pas si... |
| – Peut-être... | – Je me demande si... | + futur simple |
| – C'est sûr que... | – J'ai la certitude que... |
| – Je crois que... | – Je suis convaincu que... |
| – Je pense que... | |

**Temps incertain :**

– Un jour...
– Quand ce sera possible...
– Quand j'aurai le temps...
– Quand je le pourrai...
– Bientôt...

**Objectifs grammaticaux**
- Futur simple
- Expressions relatives au temps exprimant une série
  d'actions : *premièrement, après ça, ensuite, plus tard*, etc.

**Objectif de communication**
- Planifier les activités d'une journée.

# Visite officielle

Le premier ministre visite une usine et inaugure de nouveaux locaux.

## Plan de la matinée

La secrétaire du premier ministre explique le déroulement de la matinée lors d'une réunion avec les autorités de l'usine.

Vous êtes la secrétaire. À l'aide du plan ci-dessous, expliquez les étapes à suivre aux participants. Utilisez des verbes au futur.

---

- **9 heures**

  Déjeuner dans la grande salle. Employés de l'usine présents. Table du premier ministre et du directeur de l'usine, au centre. Mot de bienvenue prononcé par le directeur de l'usine. Mot du premier ministre et discours.

- **9 heures et demie**

  Déjeuner.

- **10 heures**

  Départ du premier ministre accompagné du directeur de l'usine. Une voiture attend devant la porte. Déplacement vers les installations de l'usine (15 minutes).

- **10 heures et demie**

  Arrivée à l'usine. Visite des installations. Échanges avec les ouvriers. Inauguration d'une nouvelle bâtisse industrielle. Allocution du premier ministre.

- **11 heures et demie**

  Dîner.

---

CAPSULE GRAMMATICALE

Expressions indiquant un rapport de temps entre des actions :
- pendant la journée
- après cela
- tout de suite après
- ensuite
- à *x* heures

- pendant le déjeuner
- avant cela
- aussitôt que
- à la fin

---

**Objectifs grammaticaux**
- Futur simple
- Hypothèse : *si* + présent, + futur simple

**Objectif de communication**
- Exprimer une relation de cause à effet.

# Voyages

1. Voici trois formules de voyages de deux semaines. Une agente de voyage explique ces différentes options à des clients. Vous jouez le rôle de l'agente de voyage. Essayez d'utiliser le plus d'hypothèses possible, comme dans l'exemple.

---

***Exemple :***

Si vous allez en Europe, vous devrez sans doute louer une voiture.

### VOYAGE AU BORD DE LA MER

- Hôtel 4 étoiles
- Possibilité de louer une voiture
- Possibilité de visiter des sites archéologiques
- Formule « tout compris »
- Sports nautiques (voile, bateau, planche à voile, moto-marine)
- Spectacles en soirée

### VOYAGE EN EUROPE

- Prague - Rome - Paris
- Hôtels 3 étoiles en moyenne
- Petit déjeuner compris
- Repas non compris
- Possibilité de louer une voiture
- Prix des visites compris

### Le tour du Québec

- Auberges champêtres (confort et charme)
- Sites enchanteurs
- Repas gastronomiques
- Contact avec la nature
- Activités de plein air (bicyclette, sports nautiques, randonnées pédestres)
- Idéal pour se reposer

---

2. Complétez les phrases hypothétiques suivantes à l'aide de verbes au présent ou au futur simple.

1. Si vous choisissez l'Europe, vous _____ quatre villes.

2. Si tu _____, tu pourras prendre beaucoup de soleil.

3. Si nous faisons le tour du Québec, _____ dans des auberges champêtres.

4. Si nous voyageons la nuit, _____ de bonne heure.

---

*Futur simple*

5. Si on prend un hôtel 2 étoiles, _____ moins cher.

6. Si _____, on devra apprendre quelques mots de chinois.

7. Si _____, on devra payer nos déplacements.

8. Si nous avons trop de bagages, _____ à l'aéroport.

9. Si nous amenons les enfants, _____ deux semaines.

10. Si vous _____ seul, la chambre d'hôtel _____ .

## Tours organisés: avantages et désavantages

3. Dans le tableau ci-dessous, on fait état des avantages et des désavantages des tours organisés. En équipes, discutez-en. Expliquez-les à une personne qui partira en voyage bientôt. Utilisez des phrases hypothétiques construites selon la structure suivante :

| Si + PRÉSENT, + FUTUR SIMPLE | |
| --- | --- |
| **AVANTAGES** | **DÉSAVANTAGES** |
| • Les voyageurs ne s'occupent de rien. Tout est prévu: transport des valises, transferts à l'aéroport, restaurants, réservations d'hôtel.<br><br>• Un guide parlant la langue du pays sert d'interprète.<br><br>• Le guide explique les aspects historiques des sites visités.<br><br>• Dans certains pays asiatiques, le fait d'être accompagné d'un guide représente un avantage.<br><br>• Le coût est moins élevé (les tarifs de groupe sont plus économiques que les tarifs individuels).<br><br>• Les itinéraires comprennent les visites essentielles. Les voyageurs ne perdent pas de temps.<br><br>• Le passage des frontières se fait plus facilement. | • Les voyageurs passent trop d'heures assis dans un autocar.<br><br>• Le guide peut devenir un agent de police.<br><br>• L'horaire est chargé.<br><br>• Les voyageurs visitent beaucoup d'endroits en peu de temps.<br><br>• Les voyageurs doivent suivre le groupe.<br><br>• Ils ne peuvent pas, par exemple, s'attarder dans un endroit qu'ils trouvent intéressant.<br><br>• Un voyageur seul doit partager sa chambre avec un autre voyageur. |

**CAPSULE GRAMMATICALE**

Le futur simple est souvent utilisé pour exprimer une relation hypothétique de cause à effet selon la structure suivante :

**Si + PRÉSENT, + FUTUR SIMPLE**
**FUTUR SIMPLE, + si + PRÉSENT**

**Exemples :** Si tu ne fais pas tes devoirs, tu n'auras pas de dessert.
Si nous choisissons l'Amérique centrale, nous irons en Guadeloupe.

# *10* Faits divers

1. Les faits divers suivants rapportent des faits passés. Parlez de ces événements comme s'ils étaient à venir. Donnez le plus de détails possible en utilisant des verbes au futur simple.

## Manif contre la vente de fourrures

Plusieurs milliers de militants pour les droits des animaux ont manifesté hier aux États-Unis pour s'élever contre la vente de fourrures à l'occasion des vacances de l'Action de grâce, consacrées par nombre d'Américains à l'achat des cadeaux de Noël.

À New York, le célèbre animateur de jeux télévisés, Bob Barker, s'est joint à quelque 2500 manifestants qui défilaient sur la 5ᵉ Avenue, une des plus riches artères commerçantes de la ville, afin de tenter de dissuader les consommateurs new-yorkais de s'offrir des articles en fourrure animale.

Des manifestations similaires ont également eu lieu à Harrisburg (Pennsylvanie), Corpus Christi (Texas), Syracuse (New York) et Miami (Floride).

D'autres devaient suivre à travers le pays, selon le groupe américain de protection des animaux Trans Species Unlimited.

D'après *La Presse*, 12 novembre 1990.

## Tour de l'île

Les 40 000 cyclistes qui ont parcouru les 68 kilomètres du Tour de l'île de Montréal, hier après-midi, ont comblé les organisateurs d'éloges, après avoir réalisé leur exploit.

Le soleil était de la partie, l'itinéraire était «parfait», les bénévoles plutôt sympathiques et efficaces ont aidé les cyclistes tout au long du parcours; bref, tout a roulé à merveille. De toute évidence, les conditions idéales étaient réunies pour que la fête prenne autant d'importance que le sport.

Adapté de *La Presse*, 3 juin 1996.

2. Réécrivez les textes précédents de façon à annoncer des faits à venir plutôt que des faits passés. Si c'est nécessaire, faites des changements.

## Manif contre la vente de fourrures

_____

_____

_____

_____

# Tour de l'Île

Expressions relatives au temps accompagnant le futur

| | | | |
|---|---|---|---|
| Demain | Bientôt | Le *(date)* | À court terme |
| Après-demain | La semaine pro- | Un jour | À moyen terme |
| Tout à l'heure | chaine | Dans les jours qui | À long terme |
| Tantôt | Le mois prochain | viennent | Avant le *(date)* |
| Plus tard | Ce soir | À l'avenir | Avant Noël |
| Dans *x* temps | Cette semaine | D'ici quelque temps | Avant la fin de |
| | À *x* heures | Dans un avenir | l'année |
| | | rapproché | |

# *11* Horoscopes

A. En respectant le sens des phrases, associez un élément de la colonne de gauche à un élément de la colonne de droite. Inscrivez la lettre appropriée dans chacune des cases.

1. Vous vivrez l'amour sous le signe de l'efficacité.

2. En affaires on n'admettra de vous aucune erreur.

3. Aujourd'hui vous serez attiré par des personnes qui voyagent beaucoup.

4. Les astres continueront à vous sourire.

5. Certaines rencontres seront bénéfiques à court terme.

6. Un ami vous adressera des reproches justifiés.

7. Au travail, vous n'hésiterez pas à confronter ceux qui s'opposent à vous.

8. Au travail, de nombreuses relations vous aideront dans vos projets.

9. Sur le plan familial, vos proches seront particulièrement exigeants.

10. En amour, vous serez appelé à faire les premiers pas en vue d'une réconciliation.

11. Un nouveau contrat vous comblera d'aise.

12. Au travail, votre horaire sera chargé.

13. Les voyages d'affaires seront de bons investissements.

14. Au foyer, on vous offrira un cadeau que vous n'attendiez pas.

15. Vous serez submergé par les invitations de toutes sortes.

16. Vous aurez à vous montrer vigilant en affaires.

☐ a) Quelqu'un essaiera de vous engager dans une relation amoureuse.

☐ b) Il serait bon d'investir dans les voyages d'affaires.

☐ c) Vous serez comblé par les étoiles.

☐ d) Vous travaillerez de longues heures.

☐ e) Vos relations vous seront utiles au travail.

☐ f) Vous vivrez des situations exigeantes à la maison.

☐ g) Vous recevrez un cadeau d'un être cher.

☐ h) Vous signerez un contrat avantageux.

☐ i) Vous recevrez beaucoup d'invitations.

☐ j) Vous rencontrerez des personnes qui voyagent beaucoup.

☐ k) Vous aurez des ennuis avec un ami.

☐ l) En affaires, vous devrez être attentif.

☐ m) Tout ira très bien en amour.

☐ n) Vous ne pourrez pas faire d'erreurs en affaires.

☐ o) Vous devrez faire des efforts pour arriver à une entente avec votre partenaire.

☐ p) Au travail, vous devrez faire face à vos opposants.

17. Vous commencerez un travail intéres-  ☐ q) Vous ferez des rencontres qui rappor-
    sant.                                        teront dans un avenir rapproché.

18. En amour, on tentera de vous compro-  ☐ r) Votre carrière connaîtra un nouveau
    mettre.                                      départ intéressant.

Adapté de la chronique Horoscope de *La Presse*.

B. Complétez les horoscopes suivants à l'aide de verbes au futur simple.

1. Vous _____ des moments de grand bonheur.

2. Dans les jours qui viennent, vous _____ un cadeau inattendu.

3. En amour, vous _____ une rencontre passionnée.

4. Vous _____ à une importante réunion d'affaires.

5. La chance _____ de votre côté si vous jouez.

6. Vous _____ une personne qui vous _____

   amour et argent.

7. Au travail, vous _____ attention.

8. En affaires, la semaine _____ favorable.

9. Vous _____ de la chance cette semaine.

10. Vous _____ fatigué ce mois-ci. Prenez une bonne semaine de vacances.

11. Au travail, vos collègues vous _____ dans une situation difficile.

12. Votre vie affective _____ comblée.

13. Vous _____ une lettre de l'étranger porteuse de bonnes nouvelles.

C. En équipes, jouez à prédire l'avenir d'une ou plusieurs personnes de votre classe dans les
   domaines suivants: amour, chance, santé, affaires, argent, enfants, surprise, travail, études.
   Composez des horoscopes, puis lisez-les devant la classe.

**Objectifs grammaticaux**
- Futur simple
- Voix passive

**Objectif de communication**
- Rapporter une nouvelle au futur.

# 12 Sujets d'actualité

Voici quelques sujets d'actualité et des expressions relatives au temps qui expriment des faits futurs. Construisez des énoncés au futur en choisissant un élément de chaque colonne, comme dans l'exemple.

*Exemple:* Le taux de chômage baissera l'année prochaine.

| | | |
|---|---|---|
| 1. Le taux de chômage | dans 15 jours | augmenter |
| 2. Les parcs de Montréal | d'ici la fin de semaine prochaine | baisser |
| 3. Les exportations canadiennes | le mois qui vient | diminuer |
| 4. La température | dans les jours qui viennent | être interdit |
| 5. Un congrès international sur la santé | l'été prochain | être ouvert |
| 6. Les armes à feu | l'année prochaine | être publié |
| 7. Les émissions violentes à la télévision | dans quelques heures | être éliminé |
| 8. Les bibliothèques | dans l'avenir | être banni |
| 9. Les déchets nucléaires | en l'an 2020 | être invité |
| 10. Le taux de natalité au Québec | prochainement | être nettoyé |
| 11. Une nouvelle ligne de métro | en fin de semaine | être inauguré |
| | | avoir lieu |
| | | être fermé |

1. _____

2. _____

3. _____

4. _____

5. _____

6. _____

7. _____

_____

8. _____

_____

9. _____

_____

10. _____

_____

11. _____

_____

CAPSULE GRAMMATICALE

1. Souvent, un fait futur peut être exprimé à la voix passive, à l'aide de la structure suivante :

|  | Groupe nominal | auxiliaire *être* au futur | participe passé (accordé) | agent (de/par)* |
|---|---|---|---|---|
| Sujet singulier | Le suspect | sera | interrogé | (par la police) |
| Sujet pluriel | Les suspects | seront | interrogés | (par la police) |

\* La préposition *de* peut également introduire le complément d'agent.
**Exemple :** Il est accompagné *de* sa sœur.

**Objectifs grammaticaux**
- Futur simple
- Verbes auxiliaires + infinitif
- Voix passive

**Objectifs de communication**
- Rapporter une nouvelle au futur.
- Développer les éléments d'information relatifs à un fait.

# 13   Titres d'articles de journaux

A. Voici quelques titres d'articles tirés du journal *La Presse*. En équipes, imaginez et discutez du contenu des articles correspondant à ces titres. Utilisez des verbes au futur simple, comme dans l'exemple.

> *Exemple* : Les jardins extérieurs du Jardin botanique ne seront plus gratuits
>
> (*La Presse*, 1990-12-06.)
>
> – Tous les visiteurs devront payer le billet d'entrée.
> – Le billet d'entrée sera imposé à tous.

---

## La plupart des stations de ski ouvriront au cours du week-end qui vient (*La Presse*, 1990-12-06.)

### Le permis de conduire sera obligatoire pour devenir policier (*La Presse*, 1990-12-06.)

## L'autoroute 30 ne sera pas prolongée tout de suite (*La Presse*, 1996-02-08.)

## Un nouveau camp scientifique pour jeunes ouvre ses portes cet été à l'UQAM (*La Presse*, 1996-02-08.)

### Oscars : les mises en nomination connues demain

(*La Presse*, 1996-02-12.)

---

B. Complétez les nouvelles suivantes à l'aide d'énoncés au futur simple, comme dans l'exemple.

**Exemple:**

L'accès aux jardins extérieurs du Jardin botanique ne sera plus gratuit.

Les usagers devront payer le billet d'entrée.
Un billet d'entrée sera exigé.

---

1. La plupart des stations de ski ouvriront au cours du week-end qui vient.

   Les skieurs _____.

   Les abonnements de saison _____.

2. Le permis de conduire sera obligatoire pour devenir policier.

   La SPCUM _____.

   Les nouveaux policiers _____.

3. L'autoroute 30 ne sera pas prolongée tout de suite.

   Les automobilistes _____.

   Le problème des bouchons dans le secteur _____.

4. Un nouveau camp scientifique pour jeunes ouvre ses portes cet été à l'UQAM.

   Les jeunes _____.

   L'UQAM _____.

5. Oscars : les mises en nomination connues demain.

   Nous _____.

   Les mises en nomination _____.

C. Reformulez les titres ci-dessous en utilisant des verbes au futur simple, comme dans l'exemple.

**Exemple:**
Ouverture d'une maison des naissances à Outremont.
Une nouvelle maison des naissances ouvrira ses portes à Outremont cet automne.

1. Grève des fonctionnaires provinciaux

   _____

2. Fermeture de trois hôpitaux cette semaine

   _____

3. Baseball : premier match de la saison samedi

   _____

4. Transport écolier : fin de la gratuité

_____

5. Santé : nouveau traitement antitabac

_____

6. Discours du premier ministre du Québec demain à Hull

_____

7. L'Internet dans toutes les écoles du Canada d'ici trois ans

_____

8. Privatisation de la Société des postes à l'automne

_____

9. Prolongement du métro : début des travaux cet été

_____

10. Déménagement du planétarium de Montréal dans le nord de la ville

_____


D. Choisissez trois des titres ci-dessus et développez-les en décrivant les conséquences des faits annoncés, comme dans l'exemple.

   **_Exemple :_**  Grève des cols bleus
   La grève des cols bleus débutera demain matin.
   Les ordures ménagères ne seront pas ramassées.
   Les cols bleus présenteront des offres à la ville de Montréal demain après-midi.

CAPSULE GRAMMATICALE

1. Voix passive au futur
   Sujet singulier + _sera_ + participe passé (accordé)     Sujet pluriel + _seront_ + participe passé (accordé)
   **_Exemple :_** La taxe **sera augmentée**.     Les taxes **seront augmentées**.

2. Verbes auxiliaires : _devoir, pouvoir_
   **_Exemple :_** La ville **devra** faire des compressions budgétaires.

3. Verbe seul au futur simple
   **_Exemple :_** Les taxes **augmenteront**.

# 14

# Nouvelles

D'après les éléments d'information donnés, élaborez une communication orale puis une communication écrite. Utilisez des verbes au futur simple.

## DANS 10 JOURS

- Prix du stationnement au centre-ville = 1 $ pour 15 minutes. Parcomètres. Stationnements intérieurs. Maintenant de 6 $ à 9 $ au maximum. Avec les changements, de 9 $ à 13 $.

1. _____

_____

_____

_____

_____

_____

## D'ICI À L'AUTOMNE PROCHAIN

- Deux voies de gauche réservées au covoiturage. Heures de pointe (7 h à 9 h et 16 h à 18 h). Autres automobilistes (voies de droite).

2. _____

_____

_____

_____

_____

_____

## DÈS LE PRINTEMPS PROCHAIN

- Entrée du Casino de Montréal interdite aux moins de 21 ans. Aussi : interdiction de boire de l'alcool et de fumer dans le Casino.

3. _____

_____

_____

_____

_____

_____

## LE MOIS PROCHAIN

- Prix de la carte mensuelle de transport = 20 $. Réduction importante. Confiance des autorités. Attirer plus d'utilisateurs dans les transports en commun.

4. _____

_____

_____

_____

_____

_____

## CET AUTOMNE

- Nouvelle loi fédérale sur les armes à feu. De nouvelles exigences pour l'obtention d'un permis.

5. _____

_____

_____

_____

_____

_____

## CET HIVER

- Service de collecte des déchets payant. Système de poids. 1 kg de déchets = 2 $. Bacs de recyclage disponibles. Types de produits : verre, papier, plastique.

6. _____

_____

_____

_____

_____

_____

Objectifs grammaticaux
- Futur simple
- Forme interrogative

Objectifs de communication
- Interroger une personne sur des faits à venir.
- Répondre à des questions concernant des faits à venir.

# 15

## Entrevue

Lisez l'article ci-dessous. Avec un ou une partenaire, jouez la scène où le journaliste interroge le ministre pour connaître les nouvelles dispositions du code de sécurité routière. Si vous jouez le rôle du journaliste, utilisez le calepin avec les sujets de questions. Préparez-vous à jouer la scène en rédigeant d'avance vos questions. Si vous êtes le ministre, soyez en mesure de répondre aux questions en utilisant les informations de l'article. Dans les deux cas, utilisez le futur simple.

# Facultés affaiblies : suspension immédiate du permis de conduire

Le Code de la sécurité routière sera amendé de façon à permettre aux policiers de suspendre sur-le-champ et pour quinze jours le permis de conduire de ceux qui seront arrêtés au volant d'un véhicule avec les facultés affaiblies.

Quant aux récidivistes, le futur code les forcera à fournir un rapport établissant qu'ils ont un problème d'alcoolisme et à démontrer qu'ils suivent un programme de réhabilitation. Certains devront munir leur véhicule d'un dispositif antidémarrage qui détectera la présence d'alcool dans leur haleine, a précisé le ministre des Transports, Jacques Brassard, qui annonçait jeudi à Québec des amendements au code de la sécurité qui seront soumis à une consultation publique cet été.

«Il y aura moins de morts et moins de blessés sur les routes du Québec, c'est l'objectif que tout le monde vise», a promis le ministre.

L'an dernier, les accidents de la route ont fait 882 morts, six pour cent de plus que l'année précédente, et 49 416 blessés, une centaine de moins qu'en 1994.

Pour abaisser ces tristes chiffres, les modifications qu'apportera le gouvernement au Code de la sécurité routière seront également plus sévères à l'endroit des jeunes conducteurs.

Si la moitié des décès sont associés à l'alcool, dans un accident mortel sur quatre, un jeune conducteur, âgé entre 15 et 24 ans, est décédé. Pour eux, ce sera donc tolérance zéro.

Les jeunes détiennent 13 pour cent des permis de conduire mais ont été impliqués dans 223 accidents mortels en 1995.

Michel Hébert, *La Presse*, 1996.

## Questions du journaliste

- Objectif des nouvelles mesures du Code de la sécurité routière
- Dispositif antidémarrage
- Programme de réhabilitation destiné aux automobilistes qui ont un problème d'alcool
- Accidents de la route
- Jeunes contrevenants

# 16

## Marché Bonsecours

Complétez les blancs à l'aide de verbes au futur simple, en tenant compte du sens.

# Le marché Bonsecours rajeunit avec le retour des maraîchers

Le marché Bonsecours _____ l'animation, la couleur et les arômes d'antan en mai prochain, lorsque les producteurs agricoles _____ y installer leurs étals au terme d'importants travaux de réhabilitation de cet immeuble historique.

La restauration de l'édifice patrimonial _____ également d'y installer une grande épicerie de quartier, des comptoirs de produits régionaux et des boutiques spécialisées, a annoncé la Société de développement de Montréal. Une matinée de portes ouvertes et de visites commentées _____ lieu samedi de 10 h à midi.

Ce projet visant à redonner au marché sa vocation originale _____ sur trois ans et _____ six millions de dollars. La première phase des travaux _____ _____ inaugurée demain lors du dévoilement de la maquette du grand escalier extérieur donnant sur la rue de la Commune. [...]

Selon lui, cette opération _____ à mieux desservir les 2500 habitants du Vieux-Montréal tout en confirmant la volonté des autorités municipales de doubler la population du quartier. Il cite en exemple le renouveau du centre historique de Boston provoqué par la réhabilitation de son vieux marché Quincy.

Outre la construction du grand escalier, les travaux _____ la restauration des trois premiers des 22 celliers de la rue Saint-Paul, les aménagements nécessaires à l'installation des 18 étals de produits frais face au fleuve et l'aménagement d'une épicerie.

La Société de développement de Montréal a par ailleurs annoncé la nomination de Laurent Picard à la présidence du conseil de direction du marché Bonsecours, l'organisme qui _____ ces travaux. Il _____ entouré de 11 personnalités du monde des affaires et de la fonction publique.

Le marché public _____ ses portes le dimanche 19 mai prochain lors d'une fête populaire marquant l'inauguration du grand escalier.

Gilles Paquin, *La Presse*, 12 avril 1996.

# Tableau I

Complétez le tableau à l'aide d'une expression relative au temps ou d'un énoncé au futur simple comme dans l'exemple.

| | |
|---|---|
| ***Exemple :*** Demain | il y aura une tempête de neige. |
| 1. | à partir de la semaine prochaine. |
| 2. Dans deux jours, | |
| 3. | nous aurons une nouvelle voiture. |
| 4. | le mois prochain. |
| 5. Je le finirai sûrement | |
| 6. | tous les produits radioactifs seront détruits. |
| 7. Les enfants pourront jouer librement sur ce terrain | |
| 8. | dès l'automne prochain. |
| 9. À la fin du mois de juin | |

# Tableau 2

Complétez le tableau en conjuguant au futur simple les verbes donnés dans la colonne de gauche. Dans la colonne de droite, écrivez le radical de chaque verbe. Suivez l'exemple.

| Verbes | Futur simple | Radical du verbe |
|---|---|---|
| *Exemple :* venir | je viendrai | viend + terminaison du futur |
| 1. Faire | nous | |
| 2. Recevoir | tu | |
| 3. Courir | ils | |
| 4. Tenir | vous | |
| 5. Falloir | il | |
| 6. Pouvoir | vous | |
| 7. Pleuvoir | il | |
| 8. Être | elle | |
| 9. Voir | je | |
| 10. Mourir | ils | |
| 11. Obtenir | elles | |
| 12. Savoir | tu | |
| 13. Devoir | vous | |
| 14. Avoir | j' | |

# Tableau 3

Classez les verbes suivants en trois catégories d'après leur radical et leurs terminaisons. Indiquez la forme de l'infinitif dans chaque cas. Suivez l'exemple.

| | | | |
|---|---|---|---|
| nous irons | vous écouterez | ils viendront | j'apprendrai |
| **tu sortiras** | elle mettra | il pleuvra | je ferai |
| vous connaîtrez | il pourra | je dormirai | nous ouvrirons |
| je me plaindrai | tu te renseigneras | elle comprendra | il faudra |
| nous recevrons | je raconterai | vous vous reposerez | tu entendras |
| je peindrai | nous courrons | tu assisteras | elle aura |
| nous servirons | je me coucherai | vous visiterez | **vous arriverez** |
| nous obtiendrons | **il saura** | **tu boiras** | il verra |

| 1 | | 2 | | 3 | |
|---|---|---|---|---|---|
| **Verbe au futur** | **Infinitif** | **Verbe au futur** | **Infinitif** | **Verbe au futur** | **Infinitif** |
| *Exemple :* il saura | savoir | tu boiras | boire | vous arriverez | arriver |
| | | | | | |
| | | | | | |
| | | | | | |
| | | | | | |
| | | | | | |
| | | | | | |

| 4 | |
|---|---|
| **Verbe au futur** | **Infinitif** |
| *Exemple :* tu sortiras | sortir |
| | |
| | |
| | |
| | |
| | |

# Tableau 4

Complétez le tableau en utilisant la structure suivante, comme dans l'exemple.

*si* + **présent, + futur simple**

| | |
|---|---|
| *Exemple :* **Si vous voyagez avec nous,** | vous économiserez de l'argent. |
| 1. Si tu prends la voiture au lieu de l'avion, | |
| 2. Si vous nous faites confiance, | |
| 3. | vous ferez un voyage de rêve. |
| 4. | nous irons tous seuls. |
| 5. Si quelque chose arrive, | |
| 6. | tu ne devras pas attendre. |
| 7. | tu devras attendre. |
| 8. S'il fait beau, | |
| 9. | je t'appellerai avant. |
| 10. Si vous ne l'essayez pas, | |
| 11. | nous ne ferons pas de rénovations. |
| 12. Si je prête mon auto à Marc, | |
| 13. | nous préparerons un gâteau. |
| 14. S'il pleut, | |
| 15. | il lui dira la vérité. |

# Tableau 5

Complétez le tableau à l'aide de l'élément manquant (le sujet, l'auxiliaire *être* à la forme affirmative ou négative, le participe passé ou un articulateur de temps), comme dans l'exemple.

| Sujets | Auxiliaires | Participes passés | Articulateurs de temps |
|---|---|---|---|
| ***Exemple :*** Les permis de conduire | ne seront pas | renouvelés | cette année. |
| 1. | sera | annoncée | ce soir. |
| 2. Les détenus | | transférés | |
| 3. Les candidats | | | cette année. |
| 4. | seront | appelés | dès le mois prochain. |
| 5. Le service téléphonique | | interrompu | entre 16 h et 17 h demain. |
| 6. Les réponses | | | par la poste dans les prochains jours. |
| 7. Votre compte | | ajusté | le plus vite possible. |
| 8. Certaines rues de Montréal | | | à cause du Festival de jazz. |
| 9. | sera | mise en vente | |
| 10. Le dépôt | vous sera | | le dernier jour. |
| 11. Les ordures ménagères | ne | ramassées | lundi prochain. |
| 12. Le suspect | | pas interrogé | avant demain. |
| 13. Les dirigeants | | convoqués | |
| 14. Un nouveau stade | | | l'année prochaine. |
| 15. Le toit du Stade olympique | | | dans cinq ans. |

# Tableau 6

Complétez le tableau à l'aide d'un verbe conjugué au futur simple soit à la forme affirmative, soit à la forme négative, comme dans l'exemple.

| Forme affirmative | Forme négative |
|---|---|
| **Exemple :** Nous l'essaierons | Nous ne l'essaierons pas |
| 1. | Vous ne l'inviterez pas |
| 2. Je me renseignerai | |
| 3. | Je ne lui dirai pas |
| 4. Tu l'appelleras | |
| 5. Vous vous reposerez | |
| 6. | Ils ne conduiront pas |
| 7. Elle la vendra | |
| 8. Nous t'écrirons | |
| 9. On leur téléphonera | |
| 10. | Je ne vous enverrai pas la copie |
| 11. | Ils ne vous inviteront pas |
| 12. On se présentera | |
| 13. Je me plaindrai | |
| 14. | Nous ne nous informerons pas |
| 15. | Tu ne me donneras pas son numéro |

# 5

# Pronoms personnels

## Table des matières

| Page | Activités | Objectifs grammaticaux | Objectifs de communication |
|------|-----------|------------------------|----------------------------|
| 192 | 7. Endroits fréquentés | Pronom *y* <br> *Une fois par semaine, par mois, par année, souvent, rarement, jamais* | Parler de faits habituels en en précisant la fréquence. |
| 193 | 8. Habitudes de consommation II | Pronoms *l', le, la, les* <br> Présent <br> *Faire faire quelque chose* | Parler des habitudes de consommation. |
| 195 | 9. Environnement | Pronoms *l', le, la, les* <br> Présent | Parler des habitudes de recyclage. |
| 197 | 10. Déménagement | Pronoms *l', le, la, les* <br> Impératif <br> Formes affirmative et négative | Donner des directives, des instructions, des indications. |
| 199 | 11. Halloween | Pronoms *l', le, la, les* <br> Présent <br> Verbe auxiliaire + pronom + verbe à l'infinitif | Organiser une fête. |
| 201 | 12. Colocataires | Pronoms *l', le, la, les* <br> Pronom *lui* <br> Présent <br> Verbe auxiliaire + pronom + verbe à l'infinitif <br> Formes affirmative et négative | Répondre aux questions d'un sondage. |
| 203 | 13. Vivre avec le voisinage | Pronoms *l', le, la, les, leur, me, nous, vous*, etc. <br> Présent <br> Formes interrogative, affirmative et négative | Parler des relations de voisinage. |
| 207 | 14. À l'occasion de... | Pronoms *l', le, la, les, lui, leur* <br> Verbe à l'impératif + pronom | Faire une suggestion. |
| 209 | 15. États d'âme | Pronoms personnels <br> Pronoms *l', le, la, les, me, te, lui, leur* | Exprimer des sentiments, des réactions. |
| 210 | 16. Faisons le tri | Pronoms *l', le, la, les* <br> Infinitif <br> Présent <br> Impératif | Faire un choix de vêtements. |
| 212 | 17. Demandes et permissions | Pronoms *l', le, la, les* <br> Infinitif <br> Impératif <br> Présent | Formuler une demande, demander une permission. |
| 214 | 18. Quelques questions | Pronoms *l', le, la, les* remplaçant des personnes <br> Présent <br> Infinitif <br> Formes affirmative et négative | Répondre à une demande d'information. |

*Pronoms personnels*

| Page | Activités | Objectifs grammaticaux | Objectifs de communication |
|------|-----------|------------------------|----------------------------|
| 216 | 19. Réponses | Pronoms *l', le, la, les*<br>Présent<br>Passé composé<br>Infinitif | Donner une réponse à une demande. |
| 228 | 20. Où sont les passeports? | Pronom *les*<br>Passé composé<br>Infinitif<br>Formes affirmative et négative | Discuter à propos d'un objet. |

## Tableaux d'entraînement

| Page | Activités | Objectifs grammaticaux | Objectifs de communication |
|------|-----------|------------------------|----------------------------|
| 219 | Tableau 1 | Pronoms *l', le, la, les*<br>Présent<br>Futur proche<br>Passé composé | |
| 220 | Tableau 2 | Pronoms *l', le, la, les, moi, lui, leur*<br>Impératif<br>Registres du français standard et du français oral familier | |
| 221 | Tableau 3 | Pronom *en*<br>Présent<br>Formes affirmative et négative | |
| 222 | Tableau 4 | Pronom *en*<br>Présent<br>Formes interrogative, affirmative et négative | |
| 223 | Tableau 5 | Pronoms personnels<br>Pronom *en*<br>Présent<br>Passé composé<br>Formes affirmative et négative | |
| 224 | Tableau 6 | Pronoms personnels<br>Pronoms *l', le, la, les, lui, leur*<br>Présent<br>Formes affirmative et négative | |
| 225 | Tableau 7 | Pronoms personnels<br>Pronoms *me, te, nous, vous*<br>Futur proche<br>Passé composé<br>Formes affirmative et négative | |

© 1997 Marcel Didier — Reproduction interdite **177** *Pronoms personnels*

| Page | Tableaux d'entraînement | Objectifs grammaticaux |
|------|------------------------|------------------------|
| 226 | Tableau 8 | Pronoms personnels<br>Pronoms *l', le, la, les, lui, leur*<br>Infinitif<br>Formes affirmative et négative |
| 227 | Tableau 9 | Pronoms personnels<br>Pronoms *l', le, la, les, lui, leur*<br>Impératif<br>Formes affirmative et négative |
| 228 | Tableau 10 | Pronoms personnels<br>Pronoms *me, nous, moi*<br>Impératif<br>Formes affirmative et négative |
| 229 | Tableau 11 | Pronoms personnels<br>Pronoms *l', le, la, les, lui, leur*<br>Passé composé<br>Formes affirmative et négative |

*Pronoms personnels*

# Tableau grammatical

## A. *Pronoms personnels*

1. Les pronoms compléments d'objet, direct et indirect

| C.O.D. | C.O.I. |
|---|---|
| Me (moi) | Me (moi) |
| Te (toi) | Te (toi) |
| Le, la, l', en | Lui |
| Nous | Nous |
| Vous | Vous |
| Les, en | Leur |

2. Compléments (3ᵉ personne)

### C.O.D. remplacés par *EN*

| Objets directs introduits par: | Exemples: | |
|---|---|---|
| un article partitif (du, de la, des) | Je prends <u>du</u> thé | j'en prends |
| un quantifiant + *de* (beaucoup de, un peu de, un kilo de, etc.) | Je veux <u>un kilo</u> de sucre | j'en veux un kilo |
| un article indéfini (un, une, des) | j'ai <u>une</u> voiture | j'en ai une |
| un adjectif indéfini (quelques, plusieurs, etc.) | j'ai <u>quelques</u> amis | j'en ai quelques-uns |

### C.O.D. remplacés par *LE, L', LA, LES*

| Objets directs introduits par: | Exemples: | |
|---|---|---|
| un article défini (le, la, les) | Je lave <u>les vêtements</u> | Je les lave |
| un adjectif possessif (mon, ton, son, etc.) | Tu prends <u>mon</u> vélo | Tu le prends |
| un adjectif démonstratif (ce, cet, cette, ces) | Il veut <u>cette</u> cravate | Il la veut |

### Compléments remplacés par Y

| | Exemples: | |
|---|---|---|
| Une préposition (à, chez) | Je vais <u>à la poste</u> | J'y vais |
| | Nous allons chez <u>Pierre</u> | Nous y allons |

3. Place des pronoms personnels

    a) Un seul verbe: PRONOM + VERBE

| Forme affirmative | Forme négative | Forme interrogative |
|---|---|---|
| Je **les** vois. | Je **ne** <u>les vois</u> **pas**. | **Les vois**-tu ? |

    b) UN verbe à l'infinitif: PRONOM + VERBE À L'INFINITIF*

| Forme affirmative | Forme négative | Forme interrogative |
|---|---|---|
| Je vais **les faire**. | Je ne vais pas **les faire**. | Vas-tu **les faire** ? |

* Dans certains cas, le pronom peut précéder le verbe conjugué lui-même suivi d'un infinitif.
**Exemple:** Je <u>les fais entrer</u>.

c) Un verbe composé: PRONOM + VERBE (auxiliaire + participe passé)

| Forme affirmative | Forme négative | Forme interrogative |
|---|---|---|
| Il **l'**a vu. | Il **ne l'a pas** vu. | L'a-t-il vu? |

d) Verbe à l'impératif

| Forme affirmative | Forme négative |
|---|---|
| **PRONOM + VERBE à la 1<sup>re</sup> et à la 2<sup>e</sup> personne du singulier** | **PRONOM + VERBE** |
| Donne-moi<br>Lève-toi<br>Prends-le | Ne **me** donne pas<br>Ne **te** lève pas<br>Ne **le** prends pas |

# B. *Catégories de verbes*

| 1. Quelques verbes d'utilisation fréquente dont la structure est verbe + quelque chose ou quelqu'un | | 2. Quelques verbes d'utilisation fréquente dont la structure est verbe + à quelqu'un | 3. Quelques verbes d'utilisation fréquente dont la structure est verbe + quelque chose + à quelqu'un | 4. Deux verbes d'utilisation fréquente dont la structure est verbe + endroit |
|---|---|---|---|---|
| acheter | jeter | acheter | achete | aller |
| adorer | laisser | plaire | rapporter | arriver |
| aider | laver | répondre | demander | |
| aimer | lire | ressembler | dire | |
| amener | manger | téléphoner | donner | |
| appeler | mettre | | écrire | |
| apprendre | nettoyer | | emprunter | |
| attendre | oublier | | envoyer | |
| avoir | payer | | expliquer | |
| boire | prendre | | faire | |
| chercher | préparer | | lire | |
| choisir | quitter | | offrir | |
| comprendre | regarder | | prêter | |
| connaître | remplir | | promettre | |
| déranger | réparer | | raconter | |
| détester | réveiller | | vencre | |
| écouter | saluer | | | |
| essayer | suivre | | | |
| excuser | trouver | | | |
| faire | utiliser | | | |
| finir | vendre | | | |
| garder | visiter | | | |
| ignorer | voir | | | |
| inviter | | | | |

**Objectifs grammaticaux**

- Pronom *en*
- Présent
- Fréquence : *tous les jours, souvent, rarement, jamais,* etc.
- Quantité : *un, une, quelques-uns, quelques-unes,* etc.

**Objectif de communication**

- Parler des habitudes alimentaires.

# 1

# Habitudes alimentaires

1. Dites à quelle fréquence vous mangez ou buvez les aliments et boissons ci-dessous. Notez les solides et les liquides de façon différente. Discutez en équipes de deux ou trois, en vous posant des questions comme dans l'exemple.
Indiquez le nom des étudiants qui ont telle ou telle habitude alimentaire dans les espaces prévus à cette fin dans la grille.

**Exemple :**   Mangez-vous du pain tous les jours ?
J'en mange tous les jours.

## SOLIDES

| | Tous les jours | Souvent | Rarement | Jamais |
|---|---|---|---|---|
| du chocolat | ☐ | ☐ | ☐ | ☐ |
| des tomates | ☐ | ☐ | ☐ | ☐ |
| des légumes crus | ☐ | ☐ | ☐ | ☐ |
| des patates | ☐ | ☐ | ☐ | ☐ |
| des hot dogs | ☐ | ☐ | ☐ | ☐ |
| des sandwichs | ☐ | ☐ | ☐ | ☐ |
| des œufs | ☐ | ☐ | ☐ | ☐ |
| de la viande | ☐ | ☐ | ☐ | ☐ |
| des carottes | ☐ | ☐ | ☐ | ☐ |
| du pain | ☐ | ☐ | ☐ | ☐ |
| des biscuits | ☐ | ☐ | ☐ | ☐ |
| des pâtisseries | ☐ | ☐ | ☐ | ☐ |
| du poulet | ☐ | ☐ | ☐ | ☐ |
| des croustilles | ☐ | ☐ | ☐ | ☐ |
| des fruits | ☐ | ☐ | ☐ | ☐ |
| des légumes cuits | ☐ | ☐ | ☐ | ☐ |

## LIQUIDES

| | Tous les jours | Souvent | Rarement | Jamais |
|---|---|---|---|---|
| de la bière | ☐ | ☐ | ☐ | ☐ |
| du chocolat | ☐ | ☐ | ☐ | ☐ |
| du vin | ☐ | ☐ | ☐ | ☐ |
| des boissons gazeuses | ☐ | ☐ | ☐ | ☐ |
| du thé | ☐ | ☐ | ☐ | ☐ |
| du café | ☐ | ☐ | ☐ | ☐ |
| de l'eau | ☐ | ☐ | ☐ | ☐ |
| de la soupe | ☐ | ☐ | ☐ | ☐ |
| des jus de fruits | ☐ | ☐ | ☐ | ☐ |
| du thé glacé | ☐ | ☐ | ☐ | ☐ |
| des tisanes | ☐ | ☐ | ☐ | ☐ |
| du lait | ☐ | ☐ | ☐ | ☐ |
| des boissons aux fruits | ☐ | ☐ | ☐ | ☐ |
| du cognac | ☐ | ☐ | ☐ | ☐ |
| du whisky | ☐ | ☐ | ☐ | ☐ |
| du rhum | ☐ | ☐ | ☐ | ☐ |

2. Deux à deux, répondez aux offres suivantes à l'aide d'un quantifiant, comme dans l'exemple.

**Exemple**: Du cognac ?    J'en prends un petit peu, merci.

| Offres | Verbes | Quantifiants |
|---|---|---|
| Du chocolat ? | prendre | une tablette |
| Du whisky ? | vouloir | un morceau |
| De la soupe ? | avoir | quelques-uns |
| Des légumes crus ? | manger | quelques-unes |
| Des croustilles ? | | un petit verre |
| De la viande ? | | une tasse |
| De la bière ? | | un peu |
| Du café ? | | un paquet |
| Du pain ? | | une bouteille |
| Une pâtisserie ? | | une tranche |
| | | un |
| | | une |
| | | deux |
| | | la moitié |

CAPSULE GRAMMATICALE

1. Le pronom *en* remplace les compléments d'objet direct (C.O.D.) introduits par un partitif.

```
                    C.O.D.
VERBE +     DU (DE L')        + NOM
            DE LA (DE L')
            DES
```

**Exemple :** Tu prends du café ?         Oui j'en prends, merci.

2. Le pronom *en* remplace les compléments d'objet direct (C.O.D.) introduits par un quantifiant.

| VERBE + | une tasse de<br>un morceau de<br>une bouteille de | beaucoup de<br>un peu de<br>une tranche de<br>un paquet de<br>un peu de<br>un verre de | une cuillerée de<br>une<br>un<br>plusieurs<br>quelques<br>des | + NOM |
|---|---|---|---|---|

**Exemple :** Tu prends un verre de lait ?    Oui, j'en prends un.

3. Les verbes suivants sont souvent utilisés avec le pronom *en* :  *acheter — boire — manger — prendre — vouloir*

**Objectifs grammaticaux**

- Pronom *en*
- Quantifiants: il y en a *une*, *un*, *plusieurs*, *quelques-uns*, *quelques-unes*, il n'y en a pas, etc.

**Objectif de communication**

- Décrire un lieu.

# 2 Cuisine

Regardez attentivement l'image de la cuisine et des objets qui s'y trouvent. En équipes de deux, posez-vous des questions pour vérifier si ces objets sont bien à leur place. Répondez à tour de rôle.

Voici les structures que vous devez utiliser:

| | |
|---|---|
| Est-ce qu'il y a un, une, des + nom ? <br> Oui, il y en a. <br> Oui, il y en a un, une. | Oui, il y en a trois, plusieurs, quelques-uns, quelques-unes. <br> Non, il n'y en a pas. <br> Non, il n'y en a aucun, aucune. |

## Décoration et ameublement

des chaises

des cadres

des rideaux

une table

des plantes

des stores
vénitiens

une horloge

des pots
à fleurs

un vaisselier

## Matériel

des verres

des assiettes

des ustensiles

des chaudrons

une passoire

des moules

des bols

un grille-pain

un réfrigérateur

un lave-vaisselle

un ouvre-boîte

une cuisinière

un four à
micro-ondes

un robot
culinaire

un mélangeur

une cafetière
électrique

une balance
de cuisine

une louche

une écumoire

des couteaux de
cuisine

CAPSULE GRAMMATICALE

1. Le pronom *en* remplace les compléments d'objet direct (C.O.D.) introduits par un article indéfini.

VERBE + une / un / des / plusieurs / quelques + NOM

**Exemples :**

Tu as une robe de soirée ? J'en ai une. Je n'en ai pas.

Vous avez plusieurs amis ? Oui, nous en avons plusieurs.

2. Les verbes suivants sont souvent utilisés avec le pronom *en* :
acheter — avoir — y avoir — prendre — vouloir

*Pronoms personnels*

**Objectifs grammaticaux**

- Pronom *en* + verbe au présent + quantité
- *Un*, *deux*, *trois...*, *plusieurs*, *quelques-uns*, *quelques-unes*, *deux paires*, *trois paires*, *aucun*, *aucune*, etc.

**Objectif de communication**

- Décrire le contenu de sa garde-robe.

# 3

# Garde-robe

A. Vous faites l'inventaire des vêtements et accessoires de votre garde-robe. En équipes de deux, posez des questions et répondez-y à tour de rôle. Remplacez l'objet dont vous parlez par le pronom personnel *en*, comme dans l'exemple.

**Exemple:**    Combien de chemises avez-vous?
J'en ai cinq.

## VÊTEMENTS

DES PAIRES DE SOULIERS

DES PAIRES DE BAS

DES PAIRES D'ESPADRILLES

DES BAS DE LAINE

DES GANTS

DES PANTALONS

DES SOUTIENS-GORGE

DES FOULARDS

DES VESTES

DES ROBES

DES JUPES

DES COTONS-OUATÉS

DES CHANDAILS

DES PYJAMAS

DES MANTEAUX D'HIVER

DES CRAVATES

DES CHAPEAUX

DES PANTOUFLES

DES PAIRES DE BOTTES

DES IMPERMÉABLES

## ACCESSOIRES

DES BRACELETS

DES MONTRES

DES CHAÎNES

DES BOUCLES D'OREILLE

DES CEINTURES

DES BAGUES

B. Complétez les blancs en remplaçant chaque objet par le pronom *en*.

1. Des manteaux d'hiver ? _____ seulement un.

2. Des bottes ? _____ deux paires.

3. Des imperméables, _____ pas.

4. Des bagues, _____ pas,

   _____ porte pas.

5. Des jupes, _____ quelques-unes.

6. Des culottes, _____ six ou sept.

7. Des chandails ? _____ un.

   _____ un autre.

8. Des foulards ? _____ deux.

9. Des gants ? _____ une paire.

10. Des cravates ? _____ beaucoup.

**Objectifs grammaticaux**

- Pronom *en*
- Formes affirmative et négative
- Présent

**Objectif de communication**

- Offrir quelque chose à quelqu'un.

# 4 Offres

Remplacez les aliments et boissons offerts par le pronom *en*. Vous pouvez utiliser un verbe au présent ou un verbe auxiliaire (*vouloir, pouvoir*) au présent, suivi d'un infinitif, comme dans l'exemple.

***Exemple*** :   Du jus d'orange ?
Non, merci, j'en ai encore.
Non merci, je ne veux pas en prendre maintenant.

1. Encore un peu d'eau ? Non _____ .

2. Tu prends une autre bière ? Oui, _____

   une autre mais _____ .

3. Du sucre ? Oh, non, _____

   jamais. Ça fait engraisser.

4. Vous aimeriez avoir une tranche de pâté ? Oui, _____

   _____ deux. C'est tellement bon.

5. Tu veux encore de la tarte ? Non, _____

   plus. Merci.

6. Messieurs, du café ? Oui, moi _____

   un avec du sucre, s'il vous plaît.

7. Aimerais-tu un peu de confiture ? Oui, _____

   un peu. Merci.

8. Des fraises ? Non, _____ .

   Je préfère prendre une poire.

9. Regarde, Sophie, j'ai acheté des bananes ! Oui, _____

   _____ une tout de suite.

10. Du lait avec le café ? Non, merci, _____ . Je prends mon café noir.

Place du pronom *en*

1. Verbe seul

| Forme affirmative | Forme négative |
|---|---|
| PRONOM + VERBE | N' + PRONOM + VERBE + PAS |
| *Exemple :* J'en veux. | Je n'en veux pas. |

2. Verbe auxiliaire (*pouvoir, vouloir, devoir* + infinitif

| Forme affirmative | Forme négative |
|---|---|
| Verbe auxiliaire + PRONOM + infinitif | NE + verbe auxiliaire + PAS + pronom + infinitif |
| *Exemple :* Je veux en prendre. | Je ne veux pas en prendre. |

- Pronom *en*
- Présent
- Formes affirmative et négative
- Expressions exprimant la fréquence : *une fois par semaine, par mois, par année, rarement, souvent, jamais*, etc.

# 5 Habitudes de consommation I

Combien de fois par semaine, par mois, par année achetez-vous les produits suivants ? En équipes de deux ou trois, parlez de vos habitudes de consommation quant à ces produits. Remplacez les objets par le pronom *en*. Voici les structures que vous devez utiliser :

| | |
|---|---|
| J'en achète souvent Une fois par semaine | Par mois, par année. Je n'en achète pas, jamais. |

## Produits pour la salle de bain

du papier hygiénique

du savon

de la mousse pour le bain

des mouchoirs en papier

des coton-tige

des débarbouillettes

## Produits d'entretien ménager

des sacs à ordure

du savon à lessive

du savon à vaisselle

des torchons

## Médicaments

du sirop contre la toux

des aspirines

des médicaments sous prescription

des pansements

## Produits alimentaires

de l'huile de cuisson

du sucre

du sirop d'érable

des nouilles

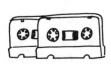
du beurre

du sel

du spaghetti

des épices

## Produits pour la maison

des cassettes vierges

des sacs en plastique

des cassettes-vidéo vierges

des chandelles

## Produits divers

des timbres

des gadgets

des cigarettes

de la gomme à mâcher

du papier à lettre

des crayons

*Pronoms personnels*

**Objectifs grammaticaux**

- Pronom *en*
- Pronom *en* + verbe au présent
- Verbe auxiliaire + *en*+ verbe à l'infinitif

**Objectif de communication**

- Faire un inventaire.

# 6

# Au chalet

Lorsque vous arrivez au chalet, vous rédigez la liste des choses que vous devez acheter. Regardez l'image et trouvez ce qu'il vous faut. Cochez les articles que vous devez acheter. Travaillez en petits groupes, en utilisant les structures proposées dans l'encadré.

| | | |
|---|---|---|
| Il y en a plusieurs. | Ça, on en a. | On en a besoin. |
| Il y en a. | Ça, on n'en a pas besoin. | On en achètera un paquet. |
| Il n'y en a pas. | Il faut en acheter. | On en achètera deux ou trois. |

une lavette
du sel
du poivre
de l'huile
du riz
des briquettes
des verres en plastique
des sacs en plastique
des napperons
des assiettes
des serviettes en papier
des ustensiles
des assiettes
un balai
un seau
du savon
des chandelles
du papier hygiénique
du shampooing
du savon à vaisselle
un tire-bouchon
du papier essuie-tout
des épingles à linge
du savon à lessive
une passoire
une bouilloire électrique
une cafetière électrique

**Objectifs grammaticaux**

- Pronom *y*
- *Une fois par semaine, par mois, par année, souvent, rarement, jamais.*

**Objectif de communication**

- Parler de faits habituels en en précisant la fréquence.

# 7

## Endroits fréquentés

Dites à quelle fréquence vous allez aux endroits suivants. Discutez-en avec un ou une partenaire. Remplacez le nom de chaque endroit par le pronom *y*.

Une fois par année
Une fois par mois
Une fois par semaine
Souvent
Rarement
Jamais

1. Chez le coiffeur
2. À la pharmacie
3. Au supermarché
4. À la cordonnerie
5. À la boulangerie
6. À la fruiterie

7. Chez le médecin
8. Au cinéma
9. Au théâtre
10. Chez votre mère
11. Chez le dentiste
12. Au garage

CAPSULE GRAMMATICALE

Le pronom *y* remplace un complément introduit par une préposition (*à*, *chez*) + un endroit.

**Exemple :**

Tu vas au cinéma souvent ?

| | Forme affirmative | Forme négative |
|---|---|---|
| | Oui, j'y vas souvent. | Non, je n'y vais pas souvent. |
| | | Non, je n'y vais jamais. |

*Pronoms personnels*

**Objectifs grammaticaux**

- Pronoms *l'*, *le*, *la*, *les*
- Présent
- *Faire faire quelque chose*

**Objectif de communicatic**

- Parler des habitudes de cc

# 8 Sondage: habitudes de consommation II

En petits groupes, posez-vous les questions ci-dessous et répondez-y. Remplacez les o ⌐ ᴜont vous parlez par les pronoms personnels *l'*, *le*, *la*, *les*.

1. Où est-ce que vous achetez **vos souliers** ?
   - ☐ Dans une manufacture
   - ☐ Au magasin de souliers
   - ☐ Dans un grand magasin

2. Quand faites-vous nettoyer **vos vêtements** ?
   - ☐ Une fois par saison
   - ☐ À la fin de chaque saison
   - ☐ Jamais

3. Où est-ce que vous achetez **le journal** ?
   - ☐ Au dépanneur, près de chez moi
   - ☐ Au dépanneur du métro
   - ☐ J'ai un abonnement

4. Où est-ce que vous achetez **votre pain** ?
   - ☐ Au supermarché
   - ☐ À la boulangerie
   - ☐ Je fais mon pain

5. Où est-ce que vous achetez **vos légumes** ?
   - ☐ Au supermarché
   - ☐ Au dépanneur
   - ☐ Au marché

6. Où est-ce que vous achetez **vos appareils ménagers** ?
   - ☐ Usagés, par les petites annonces
   - ☐ Dans les magasins spécialisés
   - ☐ Dans un grand magasin

7. Où est-ce que vous faites développer **vos photos** ?
   - ☐ Dans une pharmacie
   - ☐ Dans un magasin spécialisé

8. Combien de fois par année faites-vous faire **l'entretien de votre auto** ?
   - ☐ Jamais
   - ☐ À tous les 5000 km
   - ☐ À chaque saison

© 1997 Marcel Didier — Reproduction interdite    *Pronoms personnels*

... ce que vous achetez **le lait** ?
☐ ... u dépanneur
☐ Au supermarché

10. Où est-ce que vous achetez **vos livres** ?
☐ Dans une grande librairie
☐ Dans les magasins de livres usagés
☐ Au Club du livre

11. Combien de fois par année faites-vous laver **les tapis** ?
☐ Une fois par année
☐ Deux fois par année
☐ Jamais

12. Combien de fois par année faites-vous **le grand ménage** ?
☐ Une fois par année
☐ Deux fois par année
☐ Jamais

13. Où est-ce que vous achetez **vos timbres** ?
☐ Au dépanneur
☐ Au bureau de poste
☐ Au supermarché

**CAPSULE GRAMMATICALE**

1. Les pronoms *l'*, *le*, *l'*, *la* et les remplacent des compléments d'objet direct introduits par un article défini.

|  | C.O.D. |  |
|---|---|---|
| VERBE + | LE (L')<br>LA (L')<br>LES | + NOM |

**Exemple :** Nous prenons $\underset{\text{article défini}}{\underline{\textbf{le}}}$ métro.   Nous $\underset{\text{pronom}}{\underline{\textbf{le}}}$ prenons.

2. Les pronoms *l'*, *le*, *la* et *les* remplacent des compléments d'objet direct introduits par un adjectif possessif.

|  | C.O.D. |  |
|---|---|---|
| VERBE + | MA, TA, SA<br>MON, TON, SON<br>MES, TES, SES<br>NOTRE, VOTRE, LEUR<br>NOS, VOS, LEURS | + NOM |

**Exemple :** Nous jetons $\underset{\text{adjectif possessif}}{\underline{\textbf{nos}}}$ métro.   Nous $\underset{\text{pronom}}{\underline{\textbf{les}}}$ prenons.

Note : Avec le verbe *faire* + infinitif, le pronom se place devant le verbe *faire* conjugué.

**Exemple :** Je les fais entrer.

*Pronoms personnels*

**Objectifs grammaticaux**
- Pronoms *l'*, *le*, *la*, *les*
- Présent

**Objectif de communication**
- Parler des habitudes de recyclage.

# Environnement

A. En équipes de deux, posez-vous les questions suivantes et répondez-y à tour de rôle. Remplacez les objets par les pronoms personnels *l'*, *le*, *la*, *les*.

1. Que faites-vous de vos vieux journaux ? _____

a)

b)

c)

2. Que faites-vous de vos vieux vêtements ? _____

a)

b)

d)

c)

3. Que faites-vous des contenants en verre déjà utilisés (les pots de marmelade, les bouteilles) ?

_____

a)

c)

b)

d)

B. Répondez aux questions suivantes.

1. Que faites-vous des vieux emballages en plastique ?

_____

_____

2. Que faites-vous de vos contenants en plastique ?

_____

_____

3. Que faites-vous des vieux médicaments ?

_____

_____

4. Que faites-vous des substances toxiques qui doivent disparaître de la maison ?

_____

_____

5. Que faites-vous des appareils ménagers hors d'usage ou trop vieux ?

_____

_____

6. Que faites-vous de vos vieux livres ?

_____

_____

7. Que faites-vous du carton d'emballage des produits que vous achetez ?

_____

_____

8. Que faites-vous des feuilles d'automne ?

_____

_____

*Pronoms personnels*

**Objectifs grammaticaux**

- Pronoms *l'*, *le*, *la*, *les*
- Impératif
- Formes affirmative et négative

**Objectif de communication**

- Donner des directives, des instructions, des indications.

# *10* Déménagement

Vous avez retenu les services d'un déménageur. Le camion arrive à votre nouvelle maison. Vous surveillez l'opération et donnez des indications. Répondez aux questions des déménageurs en vous référant au plan ci-dessous. Utilisez des verbes à l'impératif et les pronoms personnels *l'*, *le*, *la* et *les* pour remplacer les objets que vous mentionnez.

**Exemple :** Où est-ce qu'on met **cette commode**?
**Mettez-la** au premier étage, dans la petite chambre.

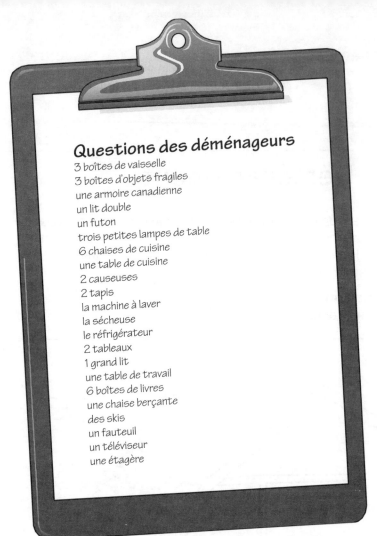

## Questions des déménageurs

3 boîtes de vaisselle
3 boîtes d'objets fragiles
une armoire canadienne
un lit double
un futon
trois petites lampes de table
6 chaises de cuisine
une table de cuisine
2 causeuses
2 tapis
la machine à laver
la sécheuse
le réfrigérateur
2 tableaux
1 grand lit
une table de travail
6 boîtes de livres
une chaise berçante
des skis
un fauteuil
un téléviseur
une étagère

| Exemples de verbes à utiliser |
| --- |
| mettre |
| placer |
| laisser |
| appuyer |
| déposer |
| descendre |
| monter |
| amener |
| apporter |
| installer |
| accrocher |
| poser |
| ranger |
| empiler |
| entasser |

Place des pronoms *l'*, *le*, *la*, *les*

1. Forme affirmative: le pronom se place après le verbe à l'impératif.
   ***Exemple*** : <u>Mettez-la</u> sur la table.
2. Forme négative: le pronom se place devant le verbe à l'impératif.
   ***Exemple*** : Ne <u>la mettez pas</u> sur la table.

**Objectifs grammaticaux**

- Pronoms *l'*, *le*, *la*, *les*
- Présent
- Verbe auxiliaire + pronom + verbe à l'infinitif

**Objectif de communication**

- Organiser une fête.

# 11     Halloween

A. En grand groupe, parlez des activités de préparation d'une fête d'Halloween. Dans le tableau ci-dessous, vous trouverez des activités à faire et des éléments à préparer.

    ***Exemple :*** Il faut acheter le dessert. Il faut l'acheter.

| Activités | | Éléments | |
|---|---|---|---|
| acheter | organiser | les ballons | les voisins |
| placer | apporter | la nourriture | le dessert |
| avertir | préparer | les décorations | la crème glacée |
| appeler | arranger | les boissons | les grignotines |
| choisir | commander | les assiettes en carton | la trempette |
| décorer | | les invités | les disques compacts |
| | | les cassettes | les verres en plastique |
| | | la maison | la nappe |

B. Vous avez reçu une carte sur laquelle un nom est inscrit. Lisez bien les tâches que vous devez faire, puis remplissez le tableau ci-dessous. Parlez avec vos camarades de classe de ce que chacun doit faire. Si quelqu'un vous pose des questions sur votre tâche, répondez d'après les indications qui figurent sur votre carte.

    ***Exemple :*** Qui va préparer le dessert ? C'est moi qui vais le faire, ce n'est pas moi qui vais le faire.

**Cartes des participants**

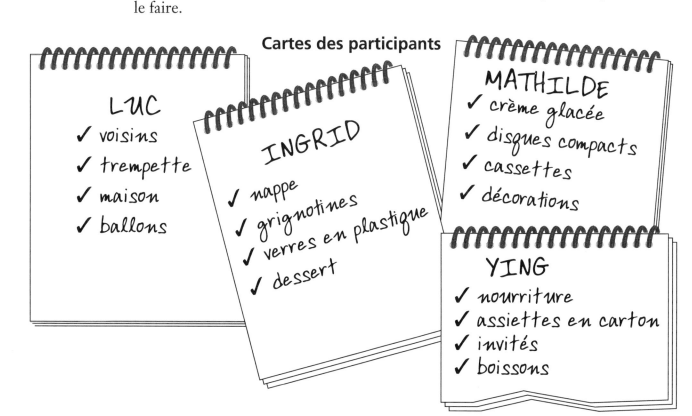

## À FAIRE

1. les voisins
2. les grignotines
3. la trempette
4. la nappe
5. la crème glacée
6. la maison
7. les boissons
8. le dessert
9. les cassettes
10. les disques compacts
11. les invités
12. les ballons
13. la nourriture
14. les assiettes en carton
15. les verres en plastique
16. les décorations

## QUI VA LE FAIRE ?

*Pronoms personnels*

**Objectifs grammaticaux**

- Pronoms *l'*, *le*, *la*, *les*
- Pronom *lui*
- Présent
- Verbe auxiliaire + pronom + verbe à l'infinitif
- Formes affirmative et négative

**Objectif de communication**

- Répondre aux questions d'un sondage.

# 12 Colocataires

Sondage : Êtes-vous un bon ou une bonne colocataire ?

Deux à deux, posez-vous les questions du sondage et répondez-y à tour de rôle. Dans vos réponses, concentrez-vous sur les pronoms *l'*, *le*, *la*, *les*, *lui* et essayez de les intégrer dans la conversation.

1. C'est au tour de votre colocataire de nettoyer la salle de bains, mais le travail n'est pas fait.
   a) Vous le faites à sa place.
   b) Vous lui dites de le faire.
   c) Vous êtes tellement en colère que vous ne lui parlez pas pendant deux jours.

2. Votre colocataire assiste à une réception. Il est trop tard pour prendre le métro et personne ne peut le ramener. Il vous demande de venir le chercher. Que faites-vous ?
   a) Vous lui suggérez de prendre un taxi.
   b) Vous allez le chercher.
   c) Vous lui dites que votre voiture est en panne.

3. Votre colocataire écoute la radio après 11 heures.
   a) Vous allez dans sa chambre et éteignez l'appareil.
   b) Vous lui dites de baisser le volume en lui expliquant qu'il est tard.
   c) Vous lui faites une scène.

4. Votre colocataire a oublié de descendre la poubelle.
   a) Vous la descendez à sa place.
   b) Vous la déposez dans sa chambre.
   c) Vous lui rappelez ses obligations.

5. Votre colocataire a oublié de vous remettre un message téléphonique.
   a) Vous l'excusez.
   b) Pendant une semaine, vous ne lui remettez aucun de ses messages.
   c) Vous lui faites des reproches.

6. Votre colocataire ne peut pas payer son loyer ce mois-ci.
   a) Vous le payez à sa place.
   b) Vous lui offrez de travailler pour vous.
   c) Vous lui suggérez de quitter l'appartement.

7. Votre colocataire n'a pas entendu le réveil et vous savez qu'elle sera en retard.
   a) Vous la réveillez doucement.
   b) Vous la laissez dormir. C'est sa responsabilité.
   c) Lorsqu'elle se lève, vous lui faites un petit sermon sur la ponctualité.

8. Votre colocataire vit une peine d'amour et se confie à vous.
   a) Vous l'écoutez attentivement.
   b) Vous lui donnez des conseils sans l'écouter vraiment.
   c) Vous lui faites la morale.

9. C'est l'anniversaire de votre colocataire.
   a) Vous le réveillez avec un petit déjeuner au lit.
   b) Vous lui donnez une carte de souhaits.
   c) Vous l'ignorez.

10. Vous décidez de rompre tout lien de colocation avec votre colocataire.
    a) Vous lui envoyez une lettre pour lui annoncer votre décision.
    b) Vous lui annoncez votre décision le moment venu.
    c) Vous lui laissez une note dans sa chambre.

CAPSULE GRAMMATICALE

1. Les pronoms *l'*, *le*, *la* et *les* peuvent remplacer des personnes si celles-ci ont la fonction de complément d'objet direct (C.O.D.). Le verbe détermine le type de complément (voir liste, page 180).

   **Exemple :**

   | J' | **aime** | Robert. | Je l'aime. / Je ne l'aime pas. |
   | | **verbe à C.O.D.** | | |

2. Les pronoms *lui* et *leur* remplacent des compléments d'objets indirects (C.O.I.). Certains verbes exigent l'emploi de la préposition *à* suivie d'un nom de personne (voir liste, page 180).

   **Exemple :**

   | Je | **téléphone** | à Marc. | Je lui téléphone. / Je ne lui télé- |
   | | verbe à **C.O.I.** | | phone pas. |

**Objectifs grammaticaux**

- Pronoms *l'*, *le*, *la*, *les*, *leur*, *me*, *nous*, *vous*, etc.
- Présent
- Formes interrogative, affirmative et négative

**Objectif de communication**

- Parler des relations de voisinage.

# *13* Vivre avec le voisinage

## A. Sondage

Avec un ou une partenaire, posez les questions du sondage et répondez-y en remplaçant les mots en caractères gras par un pronom personnel (*l'*, *le*, *la*, *les*, *leur*, *me*, *nous*, *vous*), comme dans l'exemple.

**Exemple**: Aimez-vous vos voisins ?
Oui, je les aime.
Non, je ne les aime pas.

1. Saluez-vous **vos voisins** ? _____
2. Vos voisins **vous** saluent-ils ? _____
3. Dites-vous bonjour **à vos voisins** ? _____
4. Vos voisins **vous** disent-ils bonjour ? _____
5. Téléphonez-vous à **vos voisins** ? _____
6. Vos voisins **vous** téléphonent-ils ? _____
7. Aimez-vous **vos voisins** ? _____
8. Vos voisins **vous** aiment-ils ? _____
9. Aidez-vous **vos voisins** ? _____
10. Vos voisins **vous** aident-ils ? _____
11. Faites-vous confiance **à vos voisins** ? _____
12. Vos voisins **vous** font-ils confiance ? _____
13. Faites-vous des cadeaux **à vos voisins** ? _____
14. Vos voisins **vous** font-ils des cadeaux ? _____
15. Invitez-vous **vos voisins** à la maison ? _____
16. Vos voisins **vous** invitent-ils chez eux ? _____
17. Prêtez-vous des choses **à vos voisins** ? _____
18. Vos voisins **vous** prêtent-ils des choses ? _____
19. Demandez-vous de l'argent **à vos voisins** ? _____
20. Vos voisins **vous** demandent-ils de l'argent ? _____
21. Rendez-vous service **à vos voisins** ? _____
22. Vos voisins **vous** rendent-ils service ? _____

**204**

*Pronoms personnels*

## B. Scénarios

Lisez les scénarios suivants et complétez les énoncés. Discutez de vos choix avec un ou une partenaire.

1. Un de vos voisins va partir en vacances. Il vous demande trois services : nourrir son chat, arroser ses plantes et sa pelouse (deux fois par semaine) et surveiller les allées et venues autour de la maison. Que lui répondez-vous ?

   Je lui dis que _____

   Je lui explique que _____

   Je lui demande si _____

2. Vous voyez venir un de vos voisins chargé de paquets. Il s'apprête, comme vous, à prendre l'ascenseur. Que faites-vous ?

   Je lui demande _____

   Je lui offre _____

   Je lui dis de _____

   Je lui propose de _____

   Je lui suggère de _____

3. Un de vos voisins laisse souvent sa voiture dans votre espace de stationnement. Que faites-vous ?

   Je lui parle de _____

   Je lui dis que _____

   Je lui demande de _____

   Je lui explique que _____

   Je le menace en lui disant que _____

## C. Entre voisins

Demandez les objets suivants à votre voisin, puis écrivez vos questions. Employez les formules de politesse appropriées à la situation. Voici quelques formules de politesse qui pourraient vous être utiles.

### Formules de politesse

| VOUS | TU | | |
|------|-----|---|---|
| Pourriez-vous | Me prêterais-tu | | me prêter |
| J'aurais besoin de vous demander un service | Pourrais-tu me prêter | + | me donner |
| | Je peux t'emprunter | | me passer |
| Me prêteriez-vous | Prête-moi | | |
| Je pourrais vous emprunter | Passe-moi | | |
| Me passeriez-vous | | | |

| | Une scie électrique | Un tournevis | Une lampe de poche |
|---|---|---|---|
| Vous le connaissez depuis deux semaines. C'est la première fois que vous lui demandez quelque chose. | | | |
| Vous le connaissez depuis trois ans. Souvent, vous lui avez demandé service, et lui aussi. | | | |
| Vous le connaissez bien. Souvent, votre voisin vous demande service, et vous aussi. | | | |
| Votre voisin a votre âge et vient souvent jouer aux cartes chez vous. | | | |

CAPSULE GRAMMATICALE

> Les pronoms *me*, *te*, *nous* et *vous* remplacent des compléments d'objet direct (C.O.D.) ou des compléments d'objet indirect (C.O.I.).
>
> **Exemple :**    Il **m'**aime.                    Il **me** parle.
>
>                     C.O.D. (aimer une personne)    C.O.I. (parler à une personne)

*Pronoms personnels*

**Objectifs grammaticaux**
- Pronoms *l'*, *le*, *la*, *les*, *lui*, *leur*
- Verbe à l'impératif + pronom

**Objectif de communication**
- Faire une suggestion.

# *14* À l'occasion de...

A. Complétez les blancs à l'aide d'un pronom personnel de la troisième personne: *l'*, *le*, *la*, *les*, *lui* ou *leur*.

## Conseils utiles et astuces habiles

### À l'occasion de la Saint-Valentin...

1. Votre amoureux

   Invitez-_____ au restaurant. Vous _____ ferez vraiment plaisir.

   Appelez-_____ le matin au bureau et dites-_____ que vous _____ aimez. Il sera ravi.

   Achetez-_____ son eau de Cologne préférée. Il vous aimera encore plus.

   Attendez-_____ à la sortie du travail.

   Préparez-_____ une surprise.

2. Votre amoureuse

   Invitez-_____ à manger dans un restaurant chic. Elle sera aux anges.

   Offrez-_____ des fleurs. Pour créer un effet surprise, envoyez-_____ par messagerie.

   Faites-_____ un cadeau. Achetez-_____ du parfum ou un vêtement délicat.

   Envoyez-_____ une carte de souhaits avec un petit ballon.

   Écrivez-_____ un poème d'amour.

3. **C'est la fête de votre enfant adolescent**

   Amenez-_____ au cinéma. Payez-_____ un billet pour le spectacle de son choix.

   Offrez-_____ un certificat-cadeau. Offrez-_____ le cadeau de ses rêves.

   Proposez-_____ d'aller en voyage avec vous.

4. *Deux de vos collègues s'en vont à la retraite*

Préparez-_____ une fête surprise.

Invitez-_____ au restaurant.

Offrez-_____ une carte de souhaits.

Invitez vos autres collègues de travail. Demandez-_____ une petite contribution pour acheter

un cadeau.

Demandez-_____ de vous aider à préparer la fête.

B.  Complétez les dialogues par des suggestions à la personne qui parle. Remplacez les
    mots soulignés par un pronom (*le, la, lui*).

1.  A : — Un de mes collègues vient d'avoir un enfant.

    B : — _____

    _____

    _____

    _____

2.  A : — J'ai une amie qui vient de rompre avec son amoureux. Comment la consoler ?

    B : — _____

    _____

    _____

    _____

3.  A : — Un de mes amis vient de recevoir son diplôme.

    B : — _____

    _____

    _____

    _____

# 15

# États d'âme

Dites dans quel état d'âme les situations suivantes vous mettent. Discutez-en deux à deux ou en équipes plus nombreuses. Vous trouverez des idées de réponses dans la colonne de droite.

1. Quand mes voisins font du bruit,
2. Quand j'entends du bruit au milieu de la nuit,
3. Quand mes enfants sont malades,
4. Quand je ne comprends pas un exercice de français,
5. Quand je dois faire du ménage,
6. Quand je me dispute avec des gens de ma famille,
7. Quand je vois des images de guerre à la télévision,
8. Quand la police me donne une contravention,
9. Quand on me pose des questions sur ma vie privée,
10. Quand il fait mauvais,
11. Quand les gens fument devant moi,
12. Quand je ne trouve pas mes clés le matin,
13. Quand je dois aller chez le médecin,
14. Quand il neige au mois de décembre,
15. Quand il neige au mois de mai,
16. Quand je ne peux pas m'asseoir dans le métro,
17. Quand je vais au restaurant et que la nourriture est mauvaise,
18. Quand il y a trop de circulation,
19. Quand on me fait une blague,
20. Quand je vais à un *party* où je ne connais personne,
21. Quand je suis en retard,
22. Quand il y a une panne d'électricité,
23. Quand je suis malade,
24. Quand le chat des voisins se promène sur mon balcon,
25. Quand je mange trop,

ça me détend.

ça m'énerve.

ça me fait de la peine.

ça me dépasse.

ça me révolte.

ça me déprime.

ça me dérange.

ça m'est égal.

ça me fâche.

ça me rassure.

ça me fait peur.

ça me fatigue.

ça me rend malade.

ça me met de mauvaise humeur.

ça me rend nerveux.

ça me rend triste.

ça me met mal à l'aise.

ça m'amuse.

Et vos proches? Comment réagissent-ils aux mêmes situations? Discutez-en avec un ou une partenaire. Faites attention: à la troisième personne, le choix des pronoms change. Vous pouvez choisir, selon le verbe, entre *l'*, *le*, *la*, *les* ou *lui*, *leur*.

**Objectifs grammaticaux**

- Pronoms *l'*, *le*, *la*, *les*
- Infinitif
- Présent
- Impératif

**Objectif de communication**

- Faire un choix de vêtements.

# *16* Faisons le tri

1. Voici le printemps. Vous rangez votre linge d'hiver et sortez votre linge d'été. Mais il y a long-temps que vous n'avez pas fait le ménage de vos vêtements. C'est donc le temps de décider ce que vous ferez de vos vieux vêtements. Parlez-en avec un ou une camarade ou collègue en utilisant les structures suivantes.

| | | |
|---|---|---|
| Tu veux les garder ? | On les garde ? | Je peux l'utiliser pour des travaux à la maison. |
| Tu veux les donner ? | On les jette ? | Je pourrais la donner à Sylvie, elle |
| Tu veux les jeter ? | On les donne ? | porte cette taille. |

2. Complétez les blancs dans le dialogue suivant.

***Exemple :***

A : — Cette jupe, tu **veux la garder** ?

B : — Non, je pense que je **vais la donner**. Elle ne me va plus.

A : — Et ce pantalon ?

B : — Non, lui, je **le garde. Mets-le** dans le sac brun.

A : — Bon, trois autres pantalons...

B : — Ceux-là, je _____ donner. Ils sont trop petits. Ils ne me vont plus. Essaie-

_____. Peut-être que tu _____ garder, toi.

A : — Bon, je _____ essayer plus tard, Voyons. Ça, c'est une belle chemise !

B : — Oui, mais il y a un trou au côté gauche. Regarde comme il faut. Je _____ jette.

A : — Non, je _____ prends. J'ai une amie qui a besoin de vêtements. Elle va pouvoir

_____ réparer.

B : — D'accord. Ici, j'ai une paire de souliers. Je n'aime plus la couleur. Je _____ donne.

A : — On _____ met dans le sac brun avec les autres ?

B : — Oui. Tous ces t-shirts, je _____ donne aussi. Mets-_____ dans le sac.

A : — Et ce manteau d'hiver ? Tu _____ donner ?

*Pronoms personnels*

B : — Oui, mais laisse-_____ de côté. Je _____ donner à quelqu'un que je connais.

A : — D'accord. Mon Dieu, t'as beaucoup de vêtements ! Encore une boîte !

B : — Oui, là, j'ai une collection de chandails. Regarde ! Le rouge, je _____ donne, il est vieux, vieux, vieux, mais je pourrais encore _____ au chalet. Le vert aussi, je veux _____. Mais ces trois-là, je vais _____.

A : — Alors, je _____ dans le sac ?

B : — Oui.

A : — Il reste deux foulards.

B : — Laisse-moi voir. Bon, dans le sac. Je _____ aussi.

A : — C'est fini ?

B : — Oui. Va essayer tes affaires.

CAPSULE GRAMMATICALE

1. En général, le pronom se place devant le verbe à l'infinitif.
   **Exemple : *Je peux prendre ton adresse ?***

   | Je peux | **la** | **prendre.** |
   |---|---|---|
   | | PRONOM | INFINITIF |
   | Je ne peux pas | **la** | **prendre.** |
   | | PRONOM | INFINITIF |

   Note : Avec le verbe *faire* + infinitif, le pronom se place devant le verbe *faire* conjugué.
   **Exemple :** Je les fais entrer.

2. Les verbes ci-dessous sont souvent suivis d'un infinitif :

   | avoir envie de | | vouloir | |
   |---|---|---|---|
   | avoir besoin de | | devoir | |
   | proposer de | + infinitif | pouvoir | + infinitif |
   | suggérer de | | savoir | |
   | accepter de | | aller | |
   | refuser de | | décider de | |

**Objectifs grammaticaux**

- Pronoms *l'*, *le*, *la*, *les*
- Infinitif
- Impératif
- Présent

**Objectif de communication**

- Formuler une demande, demander une permission.

# 17 Demandes et permissions

Demandez des permissions en utilisant le verbe *pouvoir*. Formulez des demandes en employant les verbes *vouloir* et *aimer*. Ensuite, répondez à la question. Dans les deux cas, remplacez les mots en caractères gras par les pronoms *l'*, *le*, *la* ou *les*, comme dans l'exemple.

### *Exemple* :

A : **Ce livre** m'intéresse beaucoup. Je peux le prendre ?
B : Oui, prends-le.

1. A : Vous demandez 300 dollars pour **l'appartement** ? Bon. _____ ?

   B : _____

2. A : **Cette voiture** me plaît vraiment. _____ ?

   B : _____

3. A : Monsieur, avez-vous fini de lire **le journal** ? _____ ?

   B : _____

4. A : **Cette chaise** est libre ? _____ ?

   B : _____

5. A : Maman, je sais que tu ne prends pas **la voiture** ce soir. _____ ?

   B : _____

6. A : _____

   B : **Vos billets** sont prêts. _____ ?

   A : _____

7. A : Je ne peux pas finir **ce travail** ce soir. _____ ?

   B : _____

---

8. A : Excusez-moi, **la cigarette** me dérange. _____?

   B : _____

9. A : Nous voulons utiliser cette table, mais elle est pleine de **papiers**. _____?

   B : _____

10. A : Tu as beaucoup de **vieux vêtements** dans ta garde-robe. _____?

    B : _____

11. A : Qu'est-ce que je fais de **ces vieux journaux** ? _____?

    B : _____

**Objectifs grammaticaux**

- Pronoms *l'*, *le*, *la*, *les* remplaçant des personnes
- Passé composé
- Présent
- Infinitif
- Formes affirmative et négative

**Objectif de communication**

- Répondre à une demande d'information.

# 18 Quelques questions

Répondez aux questions suivantes sans répéter les noms des personnes. Utilisez les pronoms *l'*, *le, la* ou *les*, comme dans l'exemple. Dans la colonne de droite, vous trouverez des verbes que vous pouvez utiliser. N'oubliez pas d'accorder les participes passés.

**Exemple:**   Véronique arrive ?
Oui, je l'ai appelée ce matin.

1.   A : — Est-ce que **Paul** vient à la fête ?

B : — Oui, je_____

_____ .

2.   A : — **Marie-Hélène** est-elle encore à la garderie ?

B : — Non, _____

_____ .

3.   A : — As-tu vu **Danuta** dernièrement ?

B : — Oui, justement _____

_____ .

4.   A : — Tu vas appeler **Claude** ?

B : — Non, je _____

_____ .

5.   A : — As-tu parlé à **Pierre et Christine** à propos du cinéma, ce soir ?

B : — Oui, c'est arrangé, _____

_____ .

6.   A : — **Tes amis** ont déménagé en fin de semaine ?

B : — Oui, _____

_____ .

| comprendre |
| déranger |
| saluer |
| aider |
| attendre |
| voir |
| rencontrer |
| chercher |
| inviter |
| détester |
| appeler |
| regarder |

7. A : — Comment, **Tony** ne vient pas avec nous ?

 B : — Non, _____

 _____ .

8. A : — Michel ne veut plus voir **son ex.**

 B : — Justement, il _____

 _____ .

9. A : — **Paul** va peinturer son nouvel appartement en fin de semaine ?

 B : — Oui, justement, _____

 _____ .

10. A : — **Ta tante** va arriver bientôt ?

 B : — _____

 _____ .

11. A : — Est-ce que je peux parler à **Adrien** s'il vous plaît ?

 B : — Il travaille en ce moment, _____

 _____ .

12. A : — Alors, on invite **Jean-Marie et sa copine** ?

 B : — Non, _____

 _____ .

CAPSULE GRAMMATICALE

1. Avec un verbe au passé composé, le pronom se place de la façon suivante :

| | PRONOM + | AUXILIAIRE + | PARTICIPE PASSÉ |
|---|---|---|---|
| Exemples : On | l' | a | invité. |
| On | en | a | pris. |

2. Lorsqu'il s'agit des pronoms *l'*, *la*, *les* (féminin) ou *l'*, *les* (masculin), il faut faire l'accord entre le C.O.D. et le participe passé.

 ***Exemples :*** Cette photo, je **l'**ai vu**e**.

 Ces souvenirs, je **les** ai acheté**s** à Québec.

 Ces cartes postales, je **les** ai envoyé**es** de Calgary.

**Objectifs grammaticaux**

- Pronoms *l'*, *le*, *la*, *les*
- Présent
- Passé composé
- Infinitif

**Objectif de communication**

- Donner une réponse à une demande.

# 19

# Réponses

Répondez aux questions suivantes de deux façons différentes en remplaçant les mots en caractères gras par un pronom personnel, comme dans l'exemple. Reconstituez les contextes en indiquant, dans les colonnes de droite, qui parle, à qui et où.

***Exemple*** :

Où sont **mes clés** ?

    a) Tu les as laissées sur la table.
    b) Tu les vois, là, sur la table ?

    a) Qui parle ?   Une mère.
    b) À qui ?     À son enfant.

1. Où sont **mes pantoufles** ?

    a) _____

    b) _____

| Qui parle? | À qui? | Où ? |
|---|---|---|
|  |  |  |
|  |  |  |

2. **Le gâteau**, il est prêt ?

    a) _____

    b) _____

| Qui parle? | À qui? | Où ? |
|---|---|---|
|  |  |  |
|  |  |  |

3. Vite, vite, **les bagages** !

    a) _____

    b) _____

| Qui parle? | À qui? | Où ? |
|---|---|---|
|  |  |  |
|  |  |  |

4. Moi, j'aime **mon steak** bien cuit.

    a) _____

    b) _____

| Qui parle? | À qui? | Où ? |
|---|---|---|
|  |  |  |
|  |  |  |

5. Et **ta voiture** ?

    a) _____

    b) _____

| Qui parle? | À qui? | Où ? |
|---|---|---|
|  |  |  |
|  |  |  |

6. **Tes enfants** sont encore à l'école ?

    a) _____

    b) _____

| Qui parle? | À qui? | Où ? |
|---|---|---|
|  |  |  |
|  |  |  |

7. **Paul**, Paul... Non, ce nom-là ne me dit rien.

   a) _____

   b) _____

| Qui parle? | À qui? | Où ? |
|---|---|---|
| | | |
| | | |

8. De l'autre côté de la rue, c'est **le Musée** des beaux-arts.

   a) _____

   b) _____

| Qui parle? | À qui? | Où ? |
|---|---|---|
| | | |
| | | |

9. Regarde **le beau petit chien**.

   a) _____

   b) _____

| Qui parle? | À qui? | Où ? |
|---|---|---|
| | | |
| | | |

10. N'oublie pas **les photos**.

   a) _____

   b) _____

| Qui parle? | À qui? | Où ? |
|---|---|---|
| | | |
| | | |

11. Et **le livre** ?

   a) _____

   b) _____

| Qui parle? | À qui? | Où ? |
|---|---|---|
| | | |
| | | |

12. Je ne trouve pas **son adresse**.

   a) _____

   b) _____

| Qui parle? | À qui? | Où ? |
|---|---|---|
| | | |
| | | |

13. _____

   a) _____

   b) _____

| Qui parle? | À qui? | Où ? |
|---|---|---|
| | | |
| | | |

14. _____

   a) _____

   b) _____

| Qui parle? | À qui? | Où ? |
|---|---|---|
| | | |
| | | |

*Pronoms personnels*

**Objectifs grammaticaux**

- Pronom *les*
- Passé composé
- Infinitif
- Formes affirmative et négative

**Objectif de communication**

- Discuter à propos d'un objet.

# 20

## Où sont les passeports?

Vous partez en voyage. Le matin du départ, vous ne trouvez pas les passeports. Avec un ou une partenaire, jouez les rôles d'une femme et de son mari. Remplacez **les passeports** par le pronom *les*. Répétez le dialogue, puis jouez-le devant la classe. Utilisez les structures suivantes.

Je les ai laissés sur cette table, hier soir.

Je ne les ai pas vus.

Je les ai cherchés partout.

Je ne les trouve pas.

On les a perdus.

Nous les avons peut-être laissés à l'agence de voyage.

Je les ai mis sur cette table hier, avant de me coucher.

Je les ai laissés dans mon sac.

Je les ai gardés dans mon sac.

Je les ai oubliés à l'agence de voyage.

Il faut les trouver.

Il faut les chercher.

Il faut continuer à les chercher.

Tu les as pris?

Tu les as vus?

Où est-ce que tu les as mis?

Qui les a pris?

*Pronoms personnels*

# Tableau I

Complétez le tableau à l'aide d'un verbe au futur proche, au présent ou au passé composé, comme dans l'exemple.

| Futur proche | Présent | Passé composé |
|---|---|---|
| ***Exemple :*** Je vais le faire. | Je le fais. | Je l'ai fait. |
| 1. Nous allons le prendre. | | |
| 2. | Vous l'achetez ? | |
| 3. On va l'envoyer. | | |
| 4. | | Nous l'avons loué. |
| 5. | On la vend ? | |
| 6. Vous allez la poster. | | |
| 7. | | Tu l'as vu ? |
| 8. | Tu le prends ? | |
| 9. Tu vas le faire ? | | |
| 10. | | Je les ai rencontrés. |
| 11. Nous allons le lire. | | |
| 12. | On l'invite ? | |
| 13. | | Vous les avez regardés ? |
| 14. | Je l'écris. | |

**Pronoms personnels**
- Pronoms *l'*, *le*, *la*, *les*, *moi*, *lui*, *leur*
- Impératif
- Registres du français standard et du français oral familier

# Tableau 2

Complétez le tableau, comme dans l'exemple.

| Forme affirmative | Forme négative, registre du français standard | Forme négative, régistre du français oral familier |
| --- | --- | --- |
| **Exemple :** Appelle-les. | Ne les appelle pas. | « Appelle-les pas ». |
| 1. Parle-moi. | | |
| 2. | | « Dis-moi pas ça ». |
| 3. Expliquons-lui. | | |
| 4. | Ne le fais pas. | |
| 5. Raconte-moi tout. | | |
| 6. | Ne leur dis pas tout de suite. | |
| 7. | | « Téléphone-lui pas ce soir ». |
| 8. Invite-les. | | |
| 9. Achète-le. | | |
| 10. | Ne le mange pas. | |
| 11. | | « Attendez-moi pas ». |
| 12. Écoute-les. | | |

# Tableau 3

Complétez le tableau à l'aide des noms introduits par *du*, *de la* ou *des*, d'un verbe à la forme affirmative ou d'un verbe à la forme négative, comme dans l'exemple.

| | Forme affirmative | Forme négative |
|---|---|---|
| **Exemple :** du café | J'en veux. | Je n'en veux pas. |
| 1. | Vous en prenez. | |
| 2. | | Tu n'en veux pas ? |
| 3. | Il en achète souvent. | |
| 4. | | Je n'en ai pas. |
| 5. des chemises d'été | | |
| 6. | On en boit rarement. | |
| 7. | | Nous n'en voulons pas. |
| 8. du sucre | | |
| 9. | | Vous n'en mangez pas ? |
| 10. du chocolat | | |
| 11. | J'en achète régulièrement. | |
| 12. | | Il n'en a pas. |
| 13. de la confiture | | |

# Tableau 4

Complétez le tableau par la forme interrogative, la forme affirmative ou la forme négative des phrases, comme dans l'exemple.

| Forme interrogative | Forme affirmative | Forme négative |
|---|---|---|
| **Exemple :** Des crêpes, en voulez-vous ? | Oui, merci, j'en veux une. | Non, merci, je n'en veux pas. |
| 1. Du café, en buvez-vous ? | | |
| 2. | Oui, j'en prends un autre. | |
| 3. | | Non, je n'en mange jamais. |
| 4. | Oui, j'en ai deux. | |
| 5. Des pommes de terre au four, en mangez-vous souvent ? | | |
| 6. | Oui, on en fait de temps en temps. | |
| 7. | | Non, nous n'en avons pas. |
| 8. | Oui, j'en ai besoin. | |
| 9. De la gomme à mâcher, en veux-tu ? | | |
| 10. | | Non, on n'en écoute pas. |
| 11. Des animaux domestiques, en avez-vous ? | | |
| 12. | Oui, il en prend une tous les matins. | |
| 13. | | Non, ils n'en mangent jamais. |

**Tableau d'entraînement**

**Pronoms personnels**
- Pronom *en*
- Présent
- Passé composé
- Formes affirmative et négative

# Tableau 5

Complétez le tableau par des objets introduits par un article partitif (*du*, *de la*, *de l'*, *des*), et par des verbes à la forme affirmative ou à la forme négative, comme dans l'exemple.

|  | Forme affirmative | Forme négative |
|---|---|---|
| ***Exemple :*** Du café ? | J'en ai pris. | Je n'en ai pas pris. |
| 1. Des allumettes ? |  |  |
| 2. |  | Nous n'en avons pas acheté. |
| 3. | Elle en a vendu beaucoup. |  |
| 4. | J'en ai mangé un morceau. |  |
| 5. Des disques compacts ? |  |  |
| 6. |  | Il n'en a pas bu. |
| 7. Des vacances ? |  |  |
| 8. Du sirop ? |  |  |
| 9. Des journaux ? |  |  |
| 10. | On en a fait. |  |

**Pronoms personnels**
- Pronoms *l'*, *le*, *la*, *les*, *lui*, *leur*
- Présent
- Formes affirmative et négative

# Tableau 6

Complétez le tableau en ajoutant le nom d'une personne, puis en remplaçant ce nom de personne par *l'*, *le*, *la*, *les* (dans la colonne du centre), *lui* ou *leur* (dans la colonne de droite), comme dans l'exemple.

| | | |
|---|---|---|
| ***Exemple*: Paul** | je l'invite | je lui parle |
| 1. | | On lui téléphone souvent. |
| 2. Mes amis chiliens, | | |
| 3. | tu l'aides à faire ses devoirs ? | |
| 4. Le concierge, | | |
| 5. | on les aime bien. | |
| 6. Tes voisins, | | |
| 7. | | Il leur répond toujours vite. |
| 8. | | Vous lui donnez votre numéro. |
| 9. Votre chien, | | |
| 10. | vous les attendez ? | |
| 11. | | Tu leur achètes un cadeau ? |
| 12. | je les comprends. | |
| 13. Uday et Marc, | | |

Tableau d'entraînement

Pronoms personnels
- Pronoms *me, te, nous, vous*
- Futur proche
- Passé composé
- Formes affirmative et négative

# Tableau 7

Complétez le tableau avec des verbes au passé composé à la forme négative ou affirmative, ou au futur proche à la forme affirmative ou négative. Suivez l'exemple.

| Passé composé, forme affirmative | Passé composé, forme négative | Futur proche, forme affirmative | Futur proche, forme négative |
|---|---|---|---|
| *Exemple :* Il m'a dit. | Il ne m'a pas dit. | Il va me dire. | Il ne va pas me dire. |
| 1. Ils nous ont attendus. | | | |
| 2. | Je ne t'ai pas expliqué. | | |
| 3. | | Tu vas nous appeler. | |
| 4. | | | On va t'envoyer une copie. |
| 5. | | Je vais vous aviser. | |
| 6. Il t'a cherché. | | | |
| 7. | On ne vous a pas dit. | | |
| 8. | | | Vous allez me faire plaisir. |
| 9. | Vous ne m'avez pas prévenu. | | |
| 10. Je t'ai suivi. | | | |
| 11. | | Je vais t'amener. | |
| 12. | | | Tu ne vas pas nous trouver. |

**Pronoms personnels**
- Pronoms *l'*, *le, la, les, lui, leur*
- Infinitif
- Formes affirmative et négative

# Tableau 8

Complétez le tableau avec des verbes suivis de l'infinitif, à la forme affirmative ou à la forme négative. Dans la colonne de droite, indiquez les objets remplacés par les pronoms, comme dans l'exemple.

| Forme affirmative | Forme négative | Objets remplacés |
|---|---|---|
| ***Exemple :*** Je vais le faire. | Je ne vais pas le faire. | le travail |
| 1. Nous pouvons le finir. | | |
| 2. | On ne peut pas l'envoyer. | |
| 3. Je veux les inviter. | | |
| 4. Il va la vendre. | | |
| 5. | Ils ne peuvent pas lui demander. | |
| 6. Il faut leur dire. | | |
| 7. Tu dois leur parler. | | |
| 8. | Elle ne veut pas l'acheter. | |
| 9. Vous pouvez le prendre ? | | |
| 10. On va les attendre. | | |
| 11. | Je ne dois pas les fermer. | |
| 12. Nous pouvons l'amener. | | |
| 13. | Je ne vais pas lui téléphoner. | |
| 14. Il faut le faire tout de suite. | | |

**Pronoms personnels**
- Pronoms *l'*, *le*, *la*, *les*, *lui*, *leur*
- Impératif
- Formes affirmative et négative

# Tableau 9

Complétez le tableau avec des verbes à l'impératif accompagnés d'un pronom, à la forme affirmative ou à la forme négative. Dans la colonne de droite, indiquez les objets remplacés par les pronoms, comme dans l'exemple.

| Forme affirmative | Forme négative | Objets remplacés |
|---|---|---|
| *Exemple :* **Fais**-le. | **Ne** le **fais pas.** | le travail |
| 1. Invite-**les.** | | |
| 2. | Ne **leur** dis pas. | |
| 3. Offre-**lui** un cadeau. | | |
| 4. | | les espadrilles |
| 5. Achète-**la.** | | |
| 6. | Ne **l'**aide pas. | |
| 7. | Ne **lui** téléphone pas. | |
| 8. | | la lettre |
| 9. Prends-**les.** | | |
| 10. | Ne **les** attends pas. | |
| 11. Ouvrez-**leur.** | | |
| 12. | | votre concierge |
| 13. Vendez-**la.** | | |
| 14. | Ne les faites pas. | |

**Tableau d'entraînement**

**Pronoms personnels**
- Pronoms personnels
- Pronom me, *nous, moi*
- Impératif
- Formes affirmative et négative

# Tableau 10

Complétez le tableau avec des verbes à l'impératif suivis (pour la forme affirmative) ou précédés (pour la forme négative) d'un pronom, comme dans l'exemple.

| Forme affirmative | Forme négative |
|---|---|
| *Exemple :* Attends-moi. | Ne m'attends pas. |
| 1. Fais-moi plaisir. | |
| 2. | Ne nous explique pas. |
| 3. Parle-moi. | |
| 4. Écoute-moi. | |
| 5. | Ne m'appelle plus. |
| 6. | Ne nous dis pas ça ! |
| 7. Prête-moi ton auto. | |
| 8. | Ne nous attendez pas. |
| 9. Invitez-nous. | |
| 10. Répondez-nous. | |
| 11. | Ne me regardez pas. |
| 12. Envoyez-nous la copie. | |
| 13. | Ne me préparez rien. |
| 14. Achète-moi le journal. | |

**Pronoms personnels**
- Pronoms *l'*, *le*, *la*, *les*, *lui*, *leur*
- Passé composé
- Formes affirmative et négative

# Tableau II

Complétez le tableau avec des verbes au passé composé à la forme affirmative ou à la forme négative, comme dans l'exemple. Dans la colonne de droite, indiquez les personnes ou les objets remplacés par les pronoms.

| Forme affirmative | Forme négative | Objet ou personne |
|---|---|---|
| **Exemple :** Je lui ai parlé. | Je ne lui ai pas parlé. | Paul |
| 1. Nous les avons demandés. | | |
| 2. | Vous ne l'avez pas fait. | |
| 3. | On ne l'a pas attendu. | |
| 4. Il lui a dit la vérité. | | |
| 5. | Je ne leur ai pas répondu. | |
| 6. Ils les ont invités. | | |
| 7. | Vous ne lui avez pas téléphoné ? | |
| 8. Je l'ai fini. | | |
| 9. | Je ne l'ai pas vu. | |
| 10. | Tu ne l'as pas apporté. | |
| 11. On leur a demandé. | | |
| 12. | On ne l'a pas rempli. | |
| 13. Je l'ai salué, comme d'habitude. | | |

# 6

## Verbes pronominaux

## Table des matières

### *Tableaux d'entraînement*

# Tableau grammatical

## Verbes pronominaux

## A. Fonctionnement

### 1. Présent

| Forme affirmative | Forme négative |
|---|---|
| Je ME lave | Je NE me lave PAS |
| Tu TE laves | Tu NE te laves PAS |
| Il, elle SE lave | Il, elle NE se lave PAS |
| On SE lave | On NE se lave PAS |
| Nous NOUS lavons | Nous NE nous lavons PAS |
| Vous VOUS lavez | Vous NE vous lavez PAS |
| Ils, elles SE lavent | Ils, elles NE se lavent PAS |

### 2. Infinitif

| Forme affirmative | Forme négative |
|---|---|
| Je vais ME laver | Je NE vais PAS me laver |
| Tu vas TE laver | Tu NE vas PAS te laver |
| Il, elle veut SE laver | Il, elle NE veut PAS se laver |
| On peut SE laver | On NE peut PAS se laver |
| Nous pouvons NOUS laver | Nous NE pouvons PAS nous laver |
| Vous devez VOUS laver | Vous NE devez PAS vous laver |
| Ils, elles vont SE laver | Ils, elles NE vont PAS se laver |

### 3. Passé composé

| Forme affirmative | Forme négative |
|---|---|
| Je ME SUIS lavé/lavée | Je NE me suis PAS lavé/lavée |
| Tu T'ES lavé/lavée | Tu NE t'es PAS lavé/lavée |
| Il S'EST lavé | Il NE s'est PAS lavé |
| Elle S'EST lavée | Elle NE s'est PAS lavée |
| On S'EST lavé | On NE s'est PAS lavé |
| Nous NOUS SOMMES lavés/lavées | Nous NE nous sommes PAS lavés/lavées |
| Vous VOUS ÊTES lavés/lavées | Vous NE vous êtes PAS lavés/lavées |
| Ils SE SONT lavés | Ils NE se sont PAS lavés |
| Elles SE SONT lavées | Elles NE se sont PAS lavées |

### 4. Impératif

| Forme affirmative | Forme négative |
|---|---|
| Dépêche-toi | Ne te dépêche pas |
| Dépêchez-vous | Ne vous dépêchez pas |
| Dépêchons-nous | Ne nous dépêchons pas |

## B. Verbes pronominaux et non pronominaux

### 1.

| Verbe + *quelqu'un* ou *quelque chose* (non pronominal) | | |
|---|---|---|
| laver | promener | servir |
| réveiller | énerver | brûler |
| coucher | asseoir | inscrire |
| amuser | arrêter | déguiser |
| habiller | déplacer | perdre |

| Verbe + *soi-même* (pronominal) | | |
|---|---|---|
| se laver | se promener | se servir |
| se réveiller | s'énerver | se brûler |
| se coucher | s'asseoir | s'inscrire |
| s'amuser | s'arrêter | se déguiser |
| s'habiller | se déplacer | se perdre |

| Verbe + *à quelqu'un* (non pronominal) |
|---|
| demander |
| dire |
| poser des questions |

| Verbe + *à soi-même* (pronominal) |
|---|
| se demander |
| se dire |
| se poser des questions |

### 2.

| Verbe + *quelqu'un* (non pronominal) | | |
|---|---|---|
| haïr | voir | aider |
| quitter | respecter | protéger |
| aimer | ignorer | fréquenter |
| inviter | saluer | détester |

| Verbe + *l'un l'autre* (réciproquement) (pronominal) | | |
|---|---|---|
| se haïr | se voir | s'aider |
| se quitter | se respecter | se protéger |
| s'aimer | s'ignorer | se fréquenter |
| s'inviter | se saluer | se détester |

| Verbe + *à quelqu'un* | |
|---|---|
| écrire | parler |
| dire | offrir quelque chose |
| téléphoner | faire confiance |

| | |
|---|---|
| s'écrire | se parler |
| se dire | s'offrir quelque chose |
| se téléphoner | se faire confiance |

## C. Verbes fréquents à la forme pronominale

| Toilette | Santé | Sentiments/réactions | Autres champs lexicaux |
|---|---|---|---|
| se brosser les cheveux | se blesser | se calmer | s'amuser |
| se brosser les dents | se brûler | s'emporter | s'appeler |
| se brosser les ongles | se cogner | s'énerver | s'asseoir |
| se changer | se couper | s'en faire | se coucher |
| se chausser | s'empoisonner | se fâcher | se déguiser |
| se coiffer | s'étirer | se méfier | se dépêcher |
| s'essuyer | s'étouffer | se mettre en colère | s'élever |
| s'habiller | se faire mal | se ronger les ongles | s'endormir |
| se laver | se fouler | se sentir mal à l'aise | s'ennuyer |
| se maquiller | se fracturer | s'inquiéter | s'excuser |
| se parfumer | se piquer | | s'inscrire |
| se peigner | se sentir mal | | se plaindre |
| se préparer | se tordre | | se procurer |
| se raser | | | se promener |
| se sécher les cheveux | | | se rapprocher |
| | | | se rendre |
| | | | se renseigner |
| | | | se reposer |
| | | | se ressembler |
| | | | se réveiller |
| | | | se servir |
| | | | se tromper |

## D. Verbes qui existent seulement à la forme pronominale

| | |
|---|---|
| s'efforcer | se méfier |
| s'emparer | se moquer |
| s'enfuir | se soucier |
| s'évanouir | se souvenir |
| se fier | se suicider |

**Objectifs grammaticaux**
- Verbes pronominaux
- Présent
- Forme affirmative

**Objectif de communication**
- Parler d'activités quotidiennes.

# 1

# Sondage sur les activités quotidiennes

## Profil d'une journée

Deux à deux, posez-vous des questions et répondez à tour de rôle. Utilisez les verbes pronominaux proposés dans la colonne de gauche et les formes interrogatives notées dans l'encadré.

Écrivez vos questions, puis posez-les à d'autres équipes.

> Est-ce que...
> À quelle heure est-ce que...
> Où est-ce que...
> Avec qui est-ce que...
> À quel moment est-ce que...
> Quand est-ce que...

| Verbes | Questions |
|---|---|
| 1. se reposer | |
| 2. se réveiller | |
| 3. se coucher | |
| 4. s'habiller | |
| 5. s'amuser | |
| 6. se promener | |
| 7. se lever | |
| 8. se dépêcher | |
| 9. se laver les cheveux | |
| 10. s'ennuyer | |
| 11. s'endormir | |

**Objectifs grammaticaux**

- Verbes pronominaux
- Présent
- Formes affirmative et négative

**Objectif de communication**

- Poser un diagnostic.

# 2

## Frôlez-vous la dépression?

En équipes, lisez les énoncés suivants et répondez-y par vrai ou faux et par une phrase complète. Utilisez des verbes pronominaux dans toutes vos réponses.

**SONDAGE :**

## FRÔLEZ-VOUS LA DÉPRESSION ?

| | VRAI | FAUX |
|---|---|---|
| 1. Le soir, vous **vous couchez** toujours de bonne heure. | | |
| 2. Avant de **vous coucher**, vous pensez à tout ce que vous aurez à faire le lendemain. | | |
| 3. Vous **vous endormez avec** beaucoup de difficulté. | | |
| 4. Au travail, vous **vous détendez** facilement. | | |
| 5. À la maison, vous **vous reposez** au moins deux heures par jour. | | |
| 6. Vous avez l'habitude de **vous promener** au moins une heure par jour. | | |
| 7. Vous **vous rongez** les ongles. | | |
| 8. Vous **vous emportez** facilement. | | |
| 9. Quand vous **vous rendez** à la maison, vous oubliez complètement le travail. | | |
| 10. Vous **vous sentez inquiet ou inquiète** sans raison particulière. | | |
| 11. Au travail, quand arrive un problème, vous **vous énervez** facilement. | | |
| 12. En voiture, vous **vous perdez** souvent, vous oubliez où vous allez. | | |
| 13. Vous **vous préoccupez** de choses sans importance. | | |
| 14. Depuis quelque temps, vous avez de la difficulté à **vous entendre** avec vos collègues. | | |
| 15. Vous **vous plaignez** souvent. | | |
| 16. Vous **vous dites** souvent : « Comme j'aimerais partir en vacances ! » | | |
| 17. Vous **vous réveillez** en plein milieu de la nuit. | | |
| 18. Si vous **vous sentez** agressé ou agressée, vous avez de la difficulté à vous maîtriser. | | |
| 19. Vous **vous sentez** toujours fatigué ou fatiguée. | | |
| 20. Vous **vous posez** de sérieuses questions sur votre vie de couple. | | |
| 21. Au bureau, vous **vous dépêchez** de peur de ne pas finir votre travail à temps. | | |
| 22. Vous **vous fâchez** facilement. | | |
| 23. Vous **vous sentez** laid ou laide. | | |
| 24. Vous **vous en faites** au sujet de votre conjoint, de vos enfants, de vos parents. | | |

**Objectifs grammaticaux**

- Verbes pronominaux
- Présent
- Forme affirmative

**Objectif de communication**

- Décrire une réaction.

# 3    Agissez-vous de façon civile?

Deux par deux, posez-vous les questions suivantes et répondez-y à tour de rôle. Utilisez les verbes pronominaux au présent quand il le faut.

1. Vous êtes au volant, le feu va passer au rouge. Que faites-vous ?
   - ☐ *Je me dépêche de traverser avant que le feu devienne rouge.*
   - ☐ *Je m'arrête au feu jaune.*

2. Vous êtes dans l'autobus. Il reste une seule place assise. Que faites-vous ?
   - ☐ *Je m'assois le plus vite possible.*
   - ☐ *Je laisse quelqu'un d'autre s'asseoir.*

3. Au magasin, vous faites la queue à une caisse et une autre caisse se libère. Que faites-vous ?
   - ☐ *Je me précipite à la caisse qui vient de se libérer.*
   - ☐ *Je ne me dépêche pas, car je n'aime pas bousculer les autres pour ne gagner qu'une petite minute.*

4. Au cinéma, la salle est comble. Il reste une place à gauche et une place à droite. Un couple arrive. Que faites-vous ?
   - ☐ *Je garde ma place, car je vois très bien l'écran.*
   - ☐ *Je me déplace pour permettre au couple de s'asseoir ensemble.*

5. En vacances, l'hôtel qu'on vous assigne n'est pas celui qui figurait sur la brochure touristique, mais il est aussi bien. Que faites-vous ?
   - ☐ *Je me plains à l'agence de voyages et je réclame un remboursement.*
   - ☐ *Sans rien réclamer, je signale la situation à l'agence de voyages.*

6. Vous êtes à l'aéroport, dans un endroit réservé aux fumeurs. Personne ne fume près de vous. Que faites-vous ?
   - ☐ *Je me permets une cigarette quand même. Si les autres ne sont pas d'accord, ils n'ont qu'à changer de place.*
   - ☐ *Je m'abstiens de fumer, car je ne veux pas déranger les autres.*

7. Vous êtes au volant de votre voiture et vous roulez sur l'autoroute. Une autre voiture vous double à vive allure sur la droite. Que faites-vous ?
   - ☐ *Je garde mon calme et je continue à rouler comme si de rien n'était.*
   - ☐ *Je m'énerve et je cherche à la doubler à mon tour.*

8. Vous attendez depuis 10 minutes qu'on vous serve une crème glacée. Une personne qui vient d'entrer réussit à se faire servir avant vous. Que faites-vous ?
   - ☐ *Je me fâche et je lui dis de respecter la file.*
   - ☐ *Je me dirige au comptoir vers le préposé. Je lui demande de faire respecter la priorité.*

**Objectifs grammaticaux**
- Verbes pronominaux : *se rendre, se servir de*, etc.
- Infinitif

**Objectif de communication**
- Formuler une invitation.

# 4

# Le Tour de l'île de Montréal

A. Lisez cette publicité sur le Tour de l'île de Montréal. Deux à deux, composez et jouez un dialogue où vous invitez quelqu'un à participer à l'événement. Cette personne ignore tout du Tour et vous devez le lui expliquer.

Utilisez les verbes pronominaux suivants au présent ou à l'infinitif et accompagnés d'un verbe auxiliaire.

> *se rendre, se servir de* + nom, *se procurer* + nom, *s'inscrire, s'amuser*
> On peut se rendre en métro.
> On va s'amuser.
> Il faut s'inscrire.
> Il faut se procurer un formulaire.

# LE TOUR DE L'ÎLE

## IL CHANGE LA VILLE

*Pas d'autos, pas de boulot, que des vélos !*

**Le dimanche 9 juin, 45 000 cyclistes vont dire oui à la vélo-vie !**

En 1998, le plus grand rassemblement cycliste de la planète est plus beau que jamais :

- un nouveau départ du centre-ville
- un parcours encore plus varié qui passe par l'ouest de l'île de Montréal
- une super randonnée de 68 km accessible à tous

C'est votre tour, inscrivez-vous dès maintenant.

Info-Tour de L'interurbain Téléphonie (514) 777-7777

**L'inscription à l'avance est obligatoire**

*Pour obtenir votre formulaire officiel, faites vite un saut chez Mille et un pneus*

---

B. Complétez les dialogues suivants à l'aide des verbes pronominaux suggérés dans l'encadré.

> se sentir, s'inscrire, se procurer, se dépêcher, s'asseoir,
> se rendre, se ressembler, s'en faire

1. A : — Tu viens chez Frédéric demain soir ?

   B : — Oui, mais justement, tu sais comment _____ ?

   A : — Oui, c'est pas compliqué, il faut prendre le métro, ce n'est pas loin de la station Plamondon.

2. A : — J'ai le goût de participer au Tour de l'île.

   B : — Alors, tu dois _____ un formulaire. Il y en a à à la Maison des cyclistes.

   A : — T'as raison. Je vais y aller demain.

3. A : — On va au cinéma ce soir.

   B : — Non, je ne suis pas bien. Je ne _____ bien. J'ai un peu mal à la tête.

   A : — Bon.

4. A : — Je vais _____ à un cours d'aquaforme.

   B : — Où ça ?

   A : — À la piscine de mon quartier.

   B : — Bonne idée !

5. A : — Entrez, je vous en prie.

   B : — Est-ce que je peux _____ ici ?

   A : — Bien sûr, allez-y.

6. A : — J'aimerais aller voir la finale de la coupe Stanley[1].

   B : — Il faut _____. Il ne reste plus beaucoup de billets.

   A : — Je vais essayer d'en acheter deux demain.

   B : — Très bien.

7. A : — Tu sais, les gens qui habitent juste à côté ? Ils viennent d'avoir des jumeaux.

   B : — Est-ce qu'ils _____ ?

   A : — Comme deux gouttes d'eau. Identiques.

8. A : — J'ai un examen la semaine prochaine. J'ai peur de ne pas réussir.

   B : — Tu _____ pour rien. Je suis sûr que tout va bien aller.

   A : — J'espère bien.

---

1. Dans la Ligue nationale de hockey, le trophée présenté à l'équipe gagnante au tournoi spécial de fin de saison.

**Objectifs grammaticaux**
- Verbes pronominaux, verbes non pronominaux
- Impératif

**Objectif de communication**
- Vanter les qualités d'un produit.

# 5

# Publicité

A. Lisez les slogans publicitaires suivants. Classez les verbes à l'impératif selon qu'ils sont pronominaux ou non pronominaux.

**Verbes pronominaux**   **Verbes non pronominaux**

1. Lors de votre prochaine réception, offrez à vos invités notre
*Délice au cappucino et au chocolat*

2. *Profitez de la tempête d'aubaines chez*
**ABC DIRECT**

3. **MARCHÉ AUX PUCES VENDEZ TOUT !**

4. À ces prix, offrez-vous ajourd'hui le rêve de votre vie !
**3 nuits aux Bahamas,** à partir de 868 $
**7 nuits dans les Antilles,** à partir de 1 358 $

5. ABONNEZ-VOUS À LA
SAISON 1996-1997
355-5555

6. *Assistez au défilé de mode du COLLÈGE LABONTÉ ET DES CRÉATIONS OCÉANE*

7. Vous déménagez ?
**Tenez-nous au courant !**

8. Votez pour le plus beau voilier construit sur place avec moins de 100 $ de matériaux.

9. Sortez de l'ordinaire avec le cahier Sorties du jeudi dans le *Journal*

10. **Découvrez les mille et un secrets d'un pêcheur professionnel**

11. **Oui !**
Inscrivez-nous, moi et mes élèves au Programme prédagogique de **La Nouvelle Revue.**
Envoyez-moi _____ exemplaires pour mes élèves, pour un total de : _____ $
Commencez mon abonnement avec le numéro du _____

12. Admirez les puissants bateaux « off-shore » du fameux « POKER RUN ». Réservez tôt. Rabais jusqu'à 200 $

13. **Participez au tirage ! Joignez-vous aux amis de votre festival !**

14. Économisez cet hiver avec Via Rail DE PLUS, PRIME SPÉCIALE SI VOUS ACHETEZ VOTRE BILLET AVANT LE 15 AVRIL.

15. **À BOUT DE SOUFFLE ?** REPRENEZ-VOUS AVEC CONFORT PLUS.

16. Laissez-vous emporter. Tout en gardant le contrôle. BMW, le plaisir de conduire.

B. Utilisez les verbes pronominaux et non pronominaux suivants dans d'autres slogans publicitaires.

| Verbes | |
|---|---|
| **non pronominaux** | **pronominaux** |
| aller, acheter, prendre, voyager, choisir, profiter ne pas manquer, ne pas oublier consulter, venir, payer | se reposer, s'abonner, s'envoler se dépêcher, s'offrir, se laisser tenter s'inscrire, se faire plaisir se joindre, se faire gâter |

## *Slogans publicitaires*

_____

_____

_____

_____

_____

_____

_____

_____

_____

_____

_____

_____

_____

_____

_____

_____

## Objectifs grammaticaux

- Verbes pronominaux
- Impératif
- Forme affirmative

## Objectifs de communication

- Donner un conseil, une directive.
- Exprimer un souhait.

# 6     Demandes

Dans les situations suivantes, des personnes expriment des problèmes. Donnez-leur un conseil, exprimez un souhait ou formulez une directive. Utilisez des verbes pronominaux à l'impératif dont vous trouverez des exemples dans la colonne de droite.

1. A : — J'ai besoin d'un renseignement sur les horaires des trains. Je vais aller à la gare.

   B : — _____ par téléphone.

2. A : — Je _____ fatigué, à bout.

   B : — _____ une bonne semaine.

3. A : — Bonjour, est-ce que je peux entrer ?

   B : — Bien sûr. _____ là.

4. A : — J'adore me promener le soir, mais je ne me sens pas en sécurité dans le quartier.

   B : — _____ avec ton chien.

5. A : — J'aimerais ça, aller au *party* d'Halloween chez Pierre.

   B : — Moi aussi, mais je ne sais pas quoi mettre.

   A : — _____ en sapin de Noël.

6. A : — Nous partons en voyage samedi.

   B : — Oh là là, je n'ai pas encore changé mon argent !

   A : — Va à la banque demain et _____ des chèques de voyage. C'est ce qu'il y a de mieux.

7. A : — Pardon madame, pour déposer les formulaires de demande d'emploi ?

   B : — _____ au quatrième étage. C'est la première porte à droite.

se dépêcher
se rendre
se déguiser
s'amuser
se déshabiller
se reposer
s'asseoir
se promener
s'inscrire
se coucher
se renseigner
se calmer
se procurer
se sentir

*Verbes pronominaux*

8.  A : —   J'ai commencé une vilaine grippe. J'ai mal à la gorge et j'ai des frissons.

    B : —   _____. Il n'y a rien
    comme le lit pour se remettre d'une grippe.

9.  A : —   Bonjour.

    B : —   Bonjour. _____ et attendez ici. Le
    docteur va vous examiner.

10. A : —   Sylvie, _____, tu vas manquer le train.

    B : —   Oh non, déjà 8 heures !

11. A : —   J'aimerais suivre le cours de danse africaine au centre communautaire.

    B : —   _____ tout de suite, les places sont limitées.

    A : —   Ah bon, je vais y aller demain.

12. A : —   Maman, nous partons ce soir en camping.

    B : —   _____ bien, mais soyez prudents.

13. A : —   Papa, je ne peux pas dormir, j'ai un examen demain.

    B : —   _____. Tout va bien se passer.

14. A : —   _____.

    B : —   _____.

15. A : —   _____.

    B : —   _____.

# 7

# Une matinée mouvementée

Regardez la bande dessinée. En utilisant les verbes de la colonne de droite, dites ces que les personnages ont fait hier.

> se lever, se réveiller, se baigner, se raser, se peigner,
> se préparer, s'habiller, se parfumer, se chausser, se dépêcher,
> se diriger

© Quino/Quipos

# Trois enfants perdus

Lisez l'article, puis répondez aux questions par vrai ou faux.

# Trois jeunes enfants se perdent et passent la nuit dans le bois

«Oui, j'ai eu peur. Je savais même plus où était ma maison...»

Couchée sur le sofa du salon, chez elle à Granby, la petite Catherine Gaucher, quatre ans, se remettait de ses émotions, hier. Elle et deux garçons de son âge, portés disparus lundi après-midi, ont passé une nuit épuisante dans le bois.

Environ 300 personnes se sont lancées à leur recherche en fin de journée, lundi. Un appel lancé sur les ondes de la station de radio locale a permis de rassembler en quelques heures un nombre record de volontaires.

Catherine et ses deux amis, Alexandre Nault et Manuel Massé, ont été retrouvés sains et saufs aux premières lueurs du jour, hier, à plus de deux kilomètres de leurs maisons, situées dans un quartier résidentiel de Granby.

## Un chevreuil

«J'ai vu un chevreuil», a raconté le petit Manuel en sortant de son bain, hier après-midi.

«Qu'est-ce que tu as fait?» lui a demandé son père. «J'ai embarqué dessus...», a-t-il dit, l'air coquin, les joues rouges et les narines légèrement brûlées par le froid.

Les trois enfants jouaient dans le garage de l'une des maisons, lundi, avant de disparaître dans le bois vers 16 h 30. La mère de Manuel, Michelle Massé, leur a apporté des biscuits à 16 h 10 et une dizaine de minutes plus tard, la gardienne de Catherine constatait leur absence.

Les parents ont prévenu la police au coucher du soleil après les avoir cherchés dans les environs immédiats.

M. Massé et son voisin, M. Gaucher, ont participé aux recherches pendant toute la nuit. De 20 h à minuit, environ 300 personnes, dont une vingtaine de policiers, ont ratissé le secteur à la recherche de Catherine et de ses deux petits amis de la rue Harvey. Puis, leur nombre a progressivement diminué. Vers 5 h, on comptait encore une centaine de personnes.

Le policier de la Sûreté municipale de Granby, André Guertin, a retrouvé les enfants à 5 h du matin, au bout de 12 heures de recherches. Tous trois étaient trempés de la tête aux pieds. Catherine avait perdu une chaussure, un gant et sa tuque. Manuel avait aussi perdu son chapeau. Les enfants ont été conduits à l'hôpital de Granby pour y subir des examens. Ils ont pu rentrer chez eux vers 8 h.

«J'avais hâte que tu me trouves parce qu'il ne me restait que deux dodos avant de courir l'Halloween!» a dit le petit Alexandre en apercevant sa mère à l'hôpital.

| | Vrai | Faux |
|---|---|---|

1. Deux enfants se sont perdus dans le bois.

2. Les enfants se sont perdus à cause du mauvais temps.

3. Environ 300 personnes se sont portées volontaires pour les chercher.

4. Au retour des enfants, la mère s'est fâchée.

5. Un enfant s'est blessé à la jambe.

6. Au retour des enfants, les parents se sont mis à pleurer.

7. Les enfants se sont mouillés.

8. Les enfants se sont endormis dans le bois.

9. Les maisons des enfants se trouvent dans un quartier résidentiel de Granby.

10. Les enfants se sont réchauffés en faisant un feu.

11. À son retour à la maison, le petit Manuel s'est réchauffé en prenant un bain chaud.

# Mesures de survie utiles aux enfants

### Rester au même endroit

Dites aux enfants de choisir un arbre près d'une clairière et d'y rester.

### Bruits

Dites aux enfants de crier dans la direction des bruits.

### Grandir à vue d'œil

Un enfant peut attirer l'attention d'un avion qui le recherche s'il s'habille d'un sac à ordures et s'étend par terre dans une clairière.

### Punition

Assurez les enfants que personne ne se fâchera contre eux s'ils se perdent. Ceci évitera qu'ils se cachent des personnes qui les recherchent.

Adapté d'une publication du ministère des Approvisionnements et des Services (Canada), 1995.

**Objectifs grammaticaux**
- Verbes pronominaux
- Présent

**Objectif de communication**
- Parler des relations avec différentes personnes.

# Relations

Quelles sont vos relations avec les personnes suivantes ? Discutez-en en équipe en utilisant les verbes pronominaux que vous trouverez dans les colonnes de droite.

1. Avec votre patron

2. Avec votre mère, votre père

3. Avec vos enfants adolescents

4. Avec votre collègue de bureau

5. Avec vos employés

6. Avec votre mari, votre femme

7. Avec votre secrétaire

8. Avec vos créanciers

9. Avec vos voisins

10. Avec vos amis du même sexe

11. Avec vos amis de sexe différent

12. Avec votre belle-mère, votre beau-père

13. Avec les enfants de votre conjoint, votre conjointe

14. Avec votre dentiste

15. Avec votre avocate

16. Avec votre thérapeute

17. Avec votre banquier

| | | |
|---|---|---|
| on se parle | / | on ne se parle pas |
| on se dispute | / | on ne se dispute pas |
| on s'écrit | / | on ne s'écrit pas |
| on se voit | / | on ne se voit pas |
| on se respecte | / | on ne se respecte pas |
| on s'aime | / | on ne s'aime pas |
| on se fait confiance | / | on ne se fait pas confiance |
| on se salue | / | on ne se salue pas |
| on s'offre des cadeaux | / | on ne s'offre pas de cadeaux |
| on s'ignore | / | on ne s'ignore pas |
| on s'adresse la parole | / | on ne s'adresse pas la parole |
| on s'entend | / | on ne s'entend pas |
| on se parle au téléphone | / | on ne se parle pas au téléphone |
| on s'aide | / | on ne s'aide pas |
| on se dit tout | / | on ne se dit pas tout |
| on se protège | / | on ne se protège pas |

*Verbes pronominaux*

**Objectifs grammaticaux**
- Verbes pronominaux
- Passé composé

**Objectif de communication**
- Décrire un problème de santé au médecin.

# 10 — À l'hôpital

Des malades expliquent leurs problèmes de santé au médecin. Complétez les énoncés suivants à l'aide de verbes pronominaux au passé composé.

1. **Fracture de la cheville**

   Je crois que je _____ la cheville.

2. **Brûlure à l'eau bouillante**

   Ma fille _____ la main avec de l'eau bouillante.

3. **Blessure à la tête**

   Je _____ à la tête en tombant de ma bicyclette.

4. **Empoisonnement**

   Mon mari a très mal au ventre, je crois qu'il _____.

   Peut-être aux fruits de mer. Hier, on est allés au restaurant et il se sent mal depuis.

5. **Piqûre**

   Je_____

   à l'index et mon doigt a commencé à enfler. J'ai peur que ce soit une allergie.

6. **Coupure au pied**

   Je_____

   avec une scie, au travail.

7. **Bras cassé**

   Mon _____ le bras, hier, au match de footbal.

8. **Orteil fêlé**

   Mon mari _____ un orteil, en tombant pieds nus dans l'escalier.

9. **Muscle élancé**

   C'est regrettable, ma copine Luce _____ un muscle de la jambe

   droite, hier en faisant du vélo.

*Verbes pronominaux*

# Tableau I

Complétez le tableau en conjuguant le verbe pronominal à la forme affirmative ou à la forme négative. Suivez l'exemple.

| Forme affirmative | Forme négative |
|---|---|
| *Exemple :* Je me suis levé. | Je ne me suis pas levé. |
| 1. | Ils ne se sont pas présentés. |
| 2. Il s'est couché. | |
| 3. | On ne s'est pas rendu compte. |
| 4. Vous vous êtes assis. | |
| 5. Je me suis réveillé. | |
| 6. | Tu ne t'es pas blessée. |
| 7. Nous nous sommes promenés. | |
| 8. | Vous ne vous êtes pas renseignés. |
| 9. Elles se sont dépêchées. | |
| 10. Je me suis informé. | |
| 11. | Il ne s'est pas préparé. |
| 12. Je me suis couchée. | |
| 13. Tu t'es habillé. | |
| 14. Vous vous êtes endormis. | |

# Tableau 2

Complétez le tableau à l'aide de verbes pronominaux à l'infinitif, à la forme affirmative ou à la forme négative. Suivez l'exemple.

| Forme affirmative | Forme négative |
|---|---|
| *Exemple :* Je vais me lever. | Je ne vais pas me lever. |
| 1. Nous allons nous promener. | |
| 2. | Tu ne vas pas te renseigner ? |
| 3. Vous voulez vous asseoir là ? | |
| 4. Il va se rappeler. | |
| 5. | Nous ne pouvons pas nous dépêcher. |
| 6. On doit s'inscrire à l'avance. | |
| 7. | Vous n'allez pas vous coucher. |
| 8. Je veux m'acheter un chat. | |
| 9. Vous devez vous présenter. | |
| 10. | Tu ne veux pas t'endormir ? |
| 11. Je vais me lever de bonne heure. | |
| 12. | Ils ne vont pas se lever à 7 heures. |
| 13. | Nous ne voulons pas nous rapprocher. |
| 14. Vous aimeriez vous reposer ? | |

# Tableau 3

Complétez le tableau à l'aide de verbes pronominaux au passé composé, soit à la forme interrogative (colonne de gauche) soit aux formes affirmative ou négative (colonne de droite). Suivez l'exemple.

| Forme interrogative | Forme affirmative ou négative |
|---|---|
| ***Exemple :*** Vous êtes-vous inscrite ? | Oui, je me suis inscrite. |
| 1. T'es-tu procuré les billets ? | Oui, |
| 2. Vous êtes-vous renseigné ? | Non, |
| 3. | Oui, je me suis occupé de tout. |
| 4. | Non, nous ne nous sommes pas écrit. |
| 5. T'es-tu préparé ? | Oui, |
| 6. Vous êtes-vous endormi ? | Non, |
| 7. | Non, je ne me suis pas rendu compte. |
| 8. Vous êtes-vous habitué à ce quartier ? | Oui, |
| 9. | Non, nous ne nous sommes pas arrêtés. |
| 10. | Oui, je me suis rendu chez elle. |
| 11. Se sont-ils servi du dessert ? | Oui, |
| 12. T'es-tu reposée pendant tes vacances ? | Non, |
| 13. Vous êtes-vous amusés ? | Non, |
| 14. S'est-il ennuyé ? | Oui, |
| 15. | Oui, je me suis couché de bonne heure. |

**Verbes pronominaux**
- Impératif
- Formes affirmative et négative
- Verbe à l'impératif + complément

# Tableau 4

Complétez le tableau, comme dans l'exemple.

| | |
|---|---|
| ***Exemple :*** Informe-toi. | Ne t'informe pas. |
| 1. Assoyez-vous. | |
| 2. | Ne t'installe pas. |
| 3. | Ne vous renseignez pas. |
| 4. Levez-vous. | |
| 5. Assois-toi. | |
| 6. Dépêchez-vous. | |
| 7. | Ne te retire pas. |
| 8. Procure-toi le formulaire. | |
| 9. Rendez-vous à la salle B. | |
| 10. | Ne te montre pas. |

# 7

# Conditionnel présent

## Table des matières

### Tableaux d'entraînement

# Tableau grammatical

## Conditionnel présent

### Formation

1.  Le conditionnel présent suit les mêmes règles de formation que le futur simple (voir tableau grammatical, page 138). Seules les terminaisons changent : au conditionnel, le **r** est suivi des terminaisons de l'imparfait.

|  |  | Terminaisons du futur simple | | Terminaisons du conditionnel présent | |
|---|---|---|---|---|---|
|  |  | écrite | prononcée | écrite | prononcée |
| *Exemple :* | mange | RAI | re | RAIS | rɛ |
|  |  | RAS | ra | RAIS | rɛ |
|  |  | RA | ra | RAIT | rɛ |
|  |  | RONS | rɔ̃ | RIONS | rjɔ̃ |
|  |  | REZ | re | RIEZ | rje |
|  |  | RONT | rɔ̃ | RAIENT | rɛ |

2.  On utilise souvent le conditionnel présent pour formuler une demande poliment.

    **Verbes**

    | Avoir | aurais-tu... ? |
    |---|---|
    |  | auriez-vous... ? |
    | Vouloir | voudrais-tu... ? |
    |  | voudriez-vous... ? |

    **Verbes**

    | Aimer | aimerais-tu... ? |
    |---|---|
    |  | aimeriez-vous... ? |
    |  | j'aimerais + infinitif |
    | Pouvoir | pourrais-tu... ? |
    |  | pourriez-vous... ? |

3.  On utilise souvent le conditionnel présent pour atténuer un refus.
    J'aurais bien envie...
    J'aimerais bien, mais... (malheureusement...)
    Je voudrais...
    Ça me plairait beaucoup...

4.  On utilise souvent le conditionnel présent pour exprimer un souhait.
    J'aimerais, je souhaiterais, je voudrais (bien, beaucoup, énormément)

5.  On utilise souvent le conditionnel présent pour proposer une solution ou faire une suggestion. Dans ce cas-là, ...

    À ta place, moi je...          + conditionnel présent
    Si j'étais toi, moi je...

    Il faudrait...
    On pourrait...
    On devrait...

6.  On utilise souvent le conditionnel présent dans les hypothèses. Il est alors accompagné de l'imparfait précédé de **si**.

    **Si + imparfait + conditionnel présent**

    *Exemple :* Si j'avais un voilier, je ferais le tour du monde.

# 1

# Demande de renseignement

Demandez des renseignements en utilisant le conditionnel de politesse. Utilisez les structures proposées dans l'encadré.

> Pourriez-vous me dire + où, comment, quand, à quelle heure...
> Pourriez-vous me dire + nom
> J'aimerais savoir + où comment, quand, à quelle heure...
> J'aimerais savoir + nom
> Je voudrais savoir + où, comment, quand, à quelle heure...
>
> Je voudrais savoir + nom
> Auriez-vous la gentillesse de me dire où, comment, quand, à quelle heure...
> Auriez-vous la gentillesse de me dire + nom
> Auriez-vous + nom

1. L'heure de départ du train pour Ottawa

   _____

2. L'adresse du ministère de l'Éducation

   _____

3. Les toilettes

   _____

4. Le numéro de téléphone de la Place des Arts

   _____

5. Le prix d'un billet de cinéma

   _____

6. La possibilité de payer avec une carte de crédit

   _____

7. Le nom du responsable des objets trouvés

   _____

8. La rue de l'Église

   _____

9. Une cabine téléphonique

   _____

10. Le prix d'un billet d'avion pour Londres

    _____

**Objectif grammatical**

• Conditionnel présent

**Objectif de communication**

• Exprimer un souhait.

# 2

# Souhaits

A. Lisez d'abord les phrases suivantes. En équipes, commentez-les et exprimez vos propres souhaits. Utilisez le conditionnel présent, en suivant les modèles proposés.

• J'aimerais piloter un avion.

• J'aimerais conduire une voiture de course.

• Ce que je souhaiterais le plus au monde, ce serait participer aux Jeux olympiques.

• J'aimerais avoir un voilier.

• Ce serait merveilleux de faire le tour du monde.

• J'aimerais apprendre à nager.

• J'aimerais écrire un roman.

• Pour rien au monde je n'aimerais être roi ou reine.

• Ce que j'aimerais, ce serait faire une balade en montgolfière.

• Je désirerais vivre à la campagne.

• Mon plus grand souhait, ce serait de vivre dans un pays chaud.

• Je n'aimerais surtout pas faire du camping.

• Ce que je désirerais le plus, ce serait faire un long voyage autour du monde.

• J'aimerais beaucoup être un comédien célèbre.

• Je raffolerais d'une semaine en croisière dans les Caraïbes.

• J'aimerais pouvoir me consacrer à des œuvres de charité, me dévouer pour les autres.

• Je voudrais tellement arrêter de travailler!

• J'apprécierais beaucoup la compagnie d'un animal domestique, ça pourrait être un chien ou un chat.

• Je n'aimerais pas me perdre en forêt.

• Ce serait tellement beau s'il n'y avait plus de conflits armés dans le monde.

• J'aimerais partir en vacances quatre fois par année: en automne, en hiver, au printemps et en été.

• J'aurais envie d'assister à une soirée de gala, la remise des Oscars à Hollywood, par exemple, ou le festival de Cannes.

---

 *Conditionnel présent*

B. Lisez les souhaits suivants, puis formulez-les différemment, comme dans l'exemple.

**Exemple :** Je ferais venir une pizza.        J'aimerais manger une pizza.

1. Ça me dirait d'aller au cinéma.

   _____

2. J'arrêterais un peu pour me reposer, ça fait cinq heures qu'on roule.

   _____

3. Je prendrais une bonne crème glacée au chocolat.

   _____

4. J'irais faire un tour à bicyclette.

   _____

5. Je mangerais quelque chose de léger, une salade, par exemple.

   _____

6. Je donnerais un autre coup, comme ça tout serait fini avant la nuit.

   _____

7. Je ferais bien une partie du travail maintenant.

   _____

8. Je sortirais un peu, moi, même s'il fait froid.

   _____

9. Je finirais demain, il est tellement tard.

   _____

# 3

# Messages I

Vous appelez une personne au téléphone, mais elle est absente. Pour laisser un message sur son répondeur, utilisez le conditionnel de politesse, comme dans l'exemple, en vous inspirant des structures proposées dans l'encadré.

| | | |
|---|---|---|
| Pourriez-vous lui dire que... | Auriez-vous l'amabilité de lui dire que... | Serait-il possible de... |
| Pourriez-vous lui faire le message suivant... | Voudriez-vous lui dire que... | J'aurais un message pour elle... |
| Auriez-vous la gentillesse de lui dire que... | Est-ce qu'elle pourrait... | J'aimerais lui dire que... |

***Exemple :*** Rendez-vous annulé    Pourriez-vous lui dire que notre rendez-vous est annulé ?

1. Tempête de neige, vol annulé.

   _____

2. Changement d'heure de la réunion. C'est à 15 h au lieu de 14 h.

   _____

3. Enfant malade, absent à l'école.

   _____

4. Impossibilité d'assister à la réunion de mercredi.

   _____

5. Fête de Nicole, le vendredi 17 février. Apporter quelque chose à boire.

   _____

6. Rappeler dans l'après-midi.

   _____

7. Envoyer le formulaire à la Régie du logement le plus vite possible.

   _____

8. Pierre, en retard.

   _____

9. La chemise qu'elle a commandée est arrivée en magasin.

   _____

**Objectifs grammaticaux**
- Conditionnel présent + *mais* + futur simple
- Hypothèse : *si* + imparfait + conditionnel présent

**Objectif de communication**
- Refuser une demande en donnant une justification.

# 4  Justifications

A. En utilisant le conditionnel dans l'introduction de vos phrases, donnez des réponses négatives et justifiez-les. Suivez l'exemple.

> *Exemple :* Tu me téléphones cet après-midi ?
> Je **te téléphonerais bien, mais**... je ne serai pas en ville.

1. Alors, vous venez samedi prochain ?

   _____

2. Tu m'apportes le résumé du cours ?

   _____

3. Est-ce que vous conduisez Jacques à l'aéroport ?

   _____

4. Tu viens au cinéma avec moi ?

   _____

5. Une crème glacée ?

   _____

6. Alors, vous achetez cette robe, madame ?

   _____

7. Tu suis le cours du soir ?

   _____

8. Vous allez faire ce travail ?

   _____

9. Tu vas sous-louer ton appartement ?

   _____

---

 *Conditionnel présent*

B.  Deux à deux, donnez une réponse négative à chaque proposition, comme dans l'exemple.

**Exemple :**  Tu viens ce soir ?
Je viendrais bien si je n'avais pas autant de travail.

1. Alors, ce livre, tu l'achètes ?

_____

2. Vous prenez une place dans la première rangée ?

_____

3. Tu restes à Toronto cette semaine ?

_____

4. Nicolas a décidé de déménager cet été ?

_____

5. Tu vas chez Pauline ce soir ?

_____

6. Peux-tu garder mon chat en fin de semaine ?

_____

7. Veux-tu voir l'opéra *Turandot* ?

_____

8. Comme ça, vous vendez votre maison !

_____

9. Vous ne prenez pas de vacances cet été ?

_____

10. On va faire du ski ? Ça te tente ?

_____

**Conditionnel présent**

# 5

# Solutions

Proposez des solutions à l'aide du conditionnel présent, en utilisant les structures de l'encadré, comme dans l'exemple.

| | | |
|---|---|---|
| Tu devrais... | Tu pourrais... | Il faudrait... |
| Vous devriez... | Vous pourriez... | Ce serait bien de... |
| | + infinitif | |

### *Exemple:*

Mon appartement n'est pas assez chauffé. (en parler à la propriétaire)
**Tu devrais en parler à la propriétaire.**

1. Ma voiture fait un bruit étrange. ⇒ l'amener au garage

   _____

2. J'ai mal à la tête depuis une semaine. ⇒ aller chez le médecin

   _____

3. Le robinet coule. ⇒ appeler un plombier

   _____

4. Je suis tellement fatiguée! ⇒ prendre congé

   _____

5. Je ne sais pas à quelle heure part l'avion. ⇒ vérifier auprès de la compagnie aérienne

   _____

6. Mon voisin fait tellement de bruit. ⇒ en parler avec lui

   _____

7. J'ai un problème d'ordinateur. ⇒ consulter un technicien

   _____

8. J'ai acheté une télé, elle ne fonctionne pas.   ⇨ la changer

_____

9. Ma fille de 13 ans veut rentrer à 5 heures du matin.   ⇨ lui dire de rentrer plus tôt

_____

10. J'ai très mal à une dent.   ⇨ aller chez le dentiste

_____

11. Nous ne pouvons pas dormir.   ⇨ ne pas prendre de café

_____

12. Nous habitons trop loin du centre-ville.   ⇨ déménager plus près

_____

13. Je n'arrive pas à comprendre les verbes !   ⇨ étudier

_____

14. Mon copain est toujours en retard.   ⇨ lui acheter une montre

_____

15. Je dépense beaucoup d'argent dans les restaurants.   ⇨ apporter un repas préparé d'avance

_____

**Objectif grammatical**
- Conditionnel présent

**Objectif de communication**
- Formuler une suggestion, donner un conseil.

# 6   Suggestions

Donnez des suggestions à la personne qui parle dans les phrases suivantes. Utilisez les expressions proposées dans l'encadré pour introduire des verbes au conditionnel présent.

> Moi, à ta/sa place, je...
> Moi, ce que je ferais, ce serait...
> Si j'étais toi/lui, je...

***Exemple :*** Je pense que je vais prendre l'autobus pour aller à Trois-Rivières.

Moi, à ta place, je prendrais ma voiture.

_____

1. Cette fin de semaine nous allons à Québec.

_____

2. Je sors vers 16 heures.

_____

3. J'ai décidé de m'inscrire à un cours d'informatique.

_____

4. Je vais m'acheter un petit chien.

_____

5. Nous avons décidé de faire des rénovations cet été.

_____

6. Je change d'emploi.

_____

7. Je suppose qu'il achètera une voiture neuve.

_____

8. Je prends la rouge, je n'aime pas la verte.

_____

9. Je vais lui écrire une lettre d'excuses.

_____

10. Je ne m'inscris pas au cours finalement.

_____

11. Cet été je pars à la campagne.

_____

**Objectifs grammaticaux**
- Conditionnel présent
- Futur simple

**Objectif de communication**
- Laisser un message téléphonique.

# 7 — Messages II

À l'aide des expressions de politesse proposées dans l'encadré, construisez des messages que vous laisseriez à une personne qui ne peut pas répondre au téléphone. Chaque message doit comporter un renseignement relatif à un événement futur. Vous devrez conjuguer les verbes au futur simple, comme dans l'exemple.

---

Pourriez-vous lui dire que...
Pourriez-vous lui faire le message suivant...

Voudriez-vous lui dire que...
Serait-il possible de lui faire savoir que...

Auriez-vous la gentillesse de lui dire que...
Auriez-vous l'amabilité de lui dire que...

J'aurais un message pour elle...
J'aimerais lui dire que...

+ futur simple

---

***Exemple :*** pas de réunion               le 20 mars prochain
Pourriez-vous lui dire qu'il n'y aura pas de réunion le 20 mars prochain ?

**Messages**                                   **Moments**

1.  école fermée                               la semaine prochaine

_____

_____

2.  ne pas pouvoir aller au théâtre avec Sylvie    dans deux semaines
    à cause de mon travail

_____

_____

3.  passer réparer le téléviseur                demain soir

_____

_____

4.  dîner annulé                                samedi prochain

_____

_____

---

     *Conditionnel présent*

5. travail final remis                                                   avant la fin du mois

_____

_____

6. Francine en ville                                               la fin de semaine prochaine

_____

_____

7. Nicolas et Isidore occupés                         tout l'avant-midi

_____

_____

8. cours, recommencer                                 plus tard, en septembre

_____

_____

9. apporter disques                                         ce soir

_____

_____

10. retourner des livres à Boris                         vendredi prochain

_____

_____

11. amener les enfants à la piscine                    cet après-midi

_____

_____

12. aller chercher du jus et des croustilles          le plus tôt possible

_____

_____

# 8    Entrevues

A. Donnez votre opinion à propos des problèmes décrits ci-dessous. Utilisez le conditionnel présent pour exposer vos arguments. Les expressions proposées dans l'encadré pourraient vous être utiles.

| | | |
|---|---|---|
| Il serait nécessaire de... | Il vaudrait mieux.... | On pourrait... |
| Il serait important de... | Il faudrait... | On devrait... |
| | + infinitif | |

1.

| Pollution | Que feriez-vous à la place du gouvernement? |
|---|---|
| La pollution des lacs est un phénomène alarmant. Le ministre de l'Environnement va prendre les mesures suivantes: <br><br> • imposer des amendes allant jusqu'à 10 000 $ aux compagnies polluantes; <br><br> • organiser des réunions d'information auprès de la population; <br><br> • essayer de convaincre les compagnies polluantes de ne pas jeter leurs déchets dans les lacs. | |

| 2. | **Éducation** | **Qu'est-ce que vous feriez pour remédier à cette situation ?** |
|----|---------------|------------------------------------------------------------------|

L'éducation est en crise. Un grand pourcentage d'élèves ne finissent pas leur cours secondaire. Voici quelques exemples de solutions :

- ouvrir l'école aux parents ;

- changer les programmes d'études ;

- baisser la note de passage pour permettre à un plus grand nombre d'élèves de réussir ;

- renforcer la discipline ;

- demander l'avis des élèves.

| 3. | **Santé** | **Qu'est-ce que vous feriez pour améliorer les services de santé ?** |
|----|-----------|----------------------------------------------------------------------|

Il y a un énorme gaspillage d'argent dans le secteur de la santé. Voici quelques domaines où l'intervention de l'État permettrait d'améliorer la situation :

- les listes d'attente trop longues ;

- les salles d'urgences encombrées ;

- la pénurie de spécialistes ;

- la gratuité des médicaments pour les retraités ;

- la gratuité des examens pour les patients ;

- le salaire des médecins ;

- la pénurie de médecins en région.

B. Exposez un problème de votre choix. Essayez d'y apporter des solutions, en les formulant au conditionnel présent.

*Conditionnel présent*

# 9 Situations embarrassantes

Regardez les images et dites ce que vous feriez dans les situations illustrées. Utilisez le condition-nel présent, comme dans l'exemple.

*Exemple :* Moi, je me jetterais à l'eau pour essayer de sauver cette personne.

**Objectifs grammaticaux**
- Conditionnel présent
- Hypothèse : *si* + imparfait + conditionnel

**Objectif de communication**
- Exprimer une éventualité, une prise de position.

# 10

# Prises de position

Lisez d'abord les problèmes suivants. En équipes, élaborez une prise de position pour chaque personne mentionnée en utilisant le conditionnel présent.

## Problème nº 1

Un entrepreneur s'apprête à ouvrir un café-terrasse dans un quartier résidentiel. Les voisins craignent la musique, le bruit et la consommation d'alcool. Le commerçant affirme qu'il respecte la réglementation municipale.

Position d'un voisin demeurant dans la maison d'à côté :

_____

Position d'un voisin demeurant dans le quartier :

_____

Position du propriétaire du café-terrasse :

_____

## Problème nº 2

Une fois sur deux, les accidents de la route impliquent des jeunes. Les autorités étudient la possibilité d'interdire le permis de conduire aux moins de 18 ans.

Position d'un jeune de 15 ans :

_____

Position d'un jeune de 25 ans :

_____

Position d'un parent dont le jeune a eu un grave accident de voiture :

_____

Position d'une autorité compétente :

_____

## Problème n° 3

Le gouvernement veut réduire les allocations de toutes les personnes âgées qui ont de bons revenus provenant, par exemple, d'économies ou encore d'une pension.

Position d'une personne âgée ayant un revenu élevé :

_____

Position d'une personne âgée ayant pour seul revenu la pension du gouvernement :

_____

Position du ministre responsable :

_____


## Problème n° 4

L'administration municipale veut installer des postes de péage sur toutes les routes donnant accès à Montréal. Elle veut ainsi obtenir l'argent nécessaire au financement de la construction et de l'entretien du réseau routier.

Position de l'administration municipale :

_____

Position d'un citoyen qui doit emprunter une de ces routes pour aller travailler :

_____

Position d'un citoyen de la ville de Montréal :

_____

Position d'un citoyen qui n'a pas de voiture :

_____

# 11

# Jeu d'hypothèses

Lisez les situations suivantes et discutez-en en équipes. Dites quelles seraient les conditions qui produiraient des changements dans la vie des personnes mentionnées. Formulez des hypothèses à ce sujet, comme dans l'exemple.

***Exemple :*** S'il travaillait moins, il serait plus heureux.

## 1. Tout va mal...

Jean-François ne sait pas quoi faire de sa vie. Il passe ses journées à regarder la télévision. Il n'a pas de travail stable. Il vivote. Il fait des travaux de rénovation de temps en temps. Il n'a pas fini l'école secondaire. Il n'est pas discipliné. Il abandonne tout ce qu'il entreprend. Il vit seul, dans un petit appartement. Tout traîne. Quand il n'a pas d'argent, il demande de l'aide à ses parents. Il aime aller au casino et manger au restaurant. Souvent, il pense à déménager dans un pays chaud. Il a un enfant, mais il ne le voit presque jamais. Il n'est pas heureux.

## 2. Problèmes financiers

Mei et Marcel ont des problèmes financiers. Au cours des années, ils ont accumulé des dettes : cartes de crédit et marges de crédit sont à la limite. Marcel vient de perdre son travail et il commence à puiser dans ses économies pour vivre. Il pense à installer un bureau à la maison, mais Mei n'aime pas tellement cette idée. Mei a toujours son travail, mais son revenu n'est pas assez élevé. Le couple a une maison en banlieue et deux voitures, une neuve et une usagée. Il y a quatre ans, ils ont fait l'acquisition d'un chalet. Les enfants du couple fréquentent une école privée. Mei aime les vêtements dispendieux. Marcel, quant à lui, aime collectionner des œuvres d'art. Le couple a l'habitude de manger au restaurant au moins deux fois par semaine. De plus, ils font une sortie sans les enfants tous les samedis, et ils doivent alors payer une gardienne. Tous les ans, ils partent en vacances au bord de la mer, en général en Floride.

## 3. Fou du travail

Grégoire est un bourreau de travail. Il se lève tous les matins à 6 heures, fait un demi-heure de conditionnement physique (de la bicyclette fixe) et part travailler à 7 heures. Il passe la journée au bureau. Il n'arrive à la maison qu'à 19 heures. Souvent, ses engagements le forcent à passer des soirées à l'extérieur. Ces jours-là, il rentre après 23 heures. Deux ou trois fois par mois, il fait des voyages à l'étranger. Il apporte toujours son ordinateur, même en vacances. Depuis un certain temps, Grégoire se sent fatigué et déprimé. Il a de la difficulté à se concentrer et oublie souvent ses rendez-vous. Il a pris l'habitude de boire de l'alcool en soirée, car il souffre d'insomnie. Il n'a plus le goût de faire du sport et ne prend plaisir à aucune activité. Chez lui, cela ne va pas bien non plus. Sa femme lui reproche de ne pas s'occuper des enfants, de ne rien faire à la maison. Ses enfants réclament plus d'attention, mais en vain.

## 4. Profession ? mère de quatre enfants !

Maureen a quatre enfants, de 2 ans, 5 ans, 10 ans et 13 ans. Elle ne travaille plus à l'extérieur depuis qu'elle a eu son troisième enfant. Elle passe ses journées à la maison, en banlieue. Elle s'occupe des tâches ménagères. Lorsque les enfants arrivent de l'école, elle les aide à faire leurs devoirs. Elle a pensé envoyer le plus jeune à la garderie, mais a rejeté cette idée. Elle croit que c'est son devoir de s'occuper de l'enfant, puisqu'elle ne travaille pas à l'extérieur. Comme son mari prend la voiture pour aller travailler, elle passe beaucoup de temps à la maison. L'année dernière, elle a commencé des cours d'informatique à l'université, car elle songeait à réorienter sa carrière. Mais elle a abandonné, faute de temps. Maureen n'est pas bien dans sa peau. Elle aimerait changer des choses dans sa vie, mais elle se sentirait coupable de le faire.

*Conditionnel présent*

**Objectif grammatical**
- Conditionnel présent

**Objectif de communication**
- Exposer les étapes d'un projet.

# 12

# Projet : le complexe urbain « Les eaux du fleuve »

Vous devez développer une agglomération urbaine en banlieue. En équipes, parlez de l'emplacement des différents services sur le site. Utilisez des verbes au conditionnel et les structures proposées dans l'encadré :

1. Il y aurait un, une, des... plus loin, ici, là, à côté...
2. Il faudrait construire, avoir, placer...
3. Il serait souhaitable de..., indispensable de..., nécessaire de... + infinitif
4. Il vaudrait mieux...
5. On devrait...
   Nous devrions... + infinitif
   On pourrait...
   Nous pourrions...

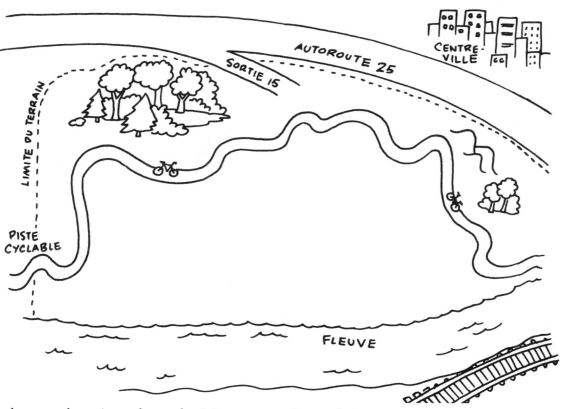

L'emplacement des maisons, des condominiums
L'emplacement des services
L'école
Le supermarché
Le centre commercial
Les magasins
Les services (par exemple, des banques)
Les espaces verts

Les garderies
Le complexe sportif
La bibliothèque
Les rues, les boulevards, les voies d'accès
Les aires de stationnement
La piste cyclable
Le terrain de golf

*Conditionnel présent*

**Objectifs grammaticaux**

- Conditionnel présent
- Imparfait
- Hypothèse : *si* + imparfait + conditionnel présent

**Objectif de communication**

- Exprimer un choix hypothétique.

# *13* Si j'étais... je serais

En équipes, dites ce que ou qui vous seriez si vous aviez le choix. Utilisez la structure proposée, comme dans l'exemple.

> Si j'étais... je serais... parce que

***Exemple :*** Si j'étais une plante, je serais un rosier parce que ses fleurs sont parfumées et délicates.

une plante
un animal
un vêtement
un fruit
un dessert
une saison
un moyen de transport
une mer
une partie du corps
un livre
un chef d'État
un air de musique
un pays
un jour de la semaine
un sentiment
une ville
un arbre
une fleur

un oiseau
un peintre, une peintre
un sport
une odeur
une pièce de la maison
une période de l'histoire
un comédien, une comédienne
un mois de l'année
un chanteur, une chanteuse
un quartier de Montréal ou de Québec
un groupe rock
un dessert
une couleur
un film
un moment de la journée

**Objectif grammatical**

- Hypothèse : *si* + imparfait + conditionnel présent

**Objectif de communication**

- Exprimer une relation de cause à effet en formulant une hypothèse.

# 14 Affirmations et hypothèses

Complétez les dialogues avec une hypothèse. Utilisez la structure proposée, comme dans l'exemple.

| Si + imparfait + conditionnel présent |
| --- |

***Exemple* :**

— Alors, vous allez acheter la maison que vous avez visitée ?
— Non, nous n'avons pas assez d'argent.
— **Mais si vous aviez de l'argent, vous l'achèteriez ?**
— Oui, peut-être.

1. Alors, on sort ce soir ?

   Non, je ne veux pas sortir. Il fait trop froid.

   Mais si _____ ?

2. Tu prends une bière ?

   Je ne peux pas boire d'alcool parce que je suis enceinte.

   Mais si _____ ?

   Oui, bien sûr, j'aime bien boire une bière de temps en temps.

3. M. le maire, est-ce vrai que le Cosmodôme fermera ses portes ?

   Oui, car le gouvernement fédéral ne peut pas participer au financement.

   Mais si _____ ?

4. Nous ne pouvons pas résoudre le problème des embouteillages sur les ponts parce que les gens refusent de participer à des programmes tels que le covoiturage.

   Mais si _____ ?

   Oui, c'est un fait que si_____.

5. On va faire du ski en fin de semaine ?

   Non, je n'ai pas d'équipement.

   Mais si _____ ?

   Oui.

6. J'aimerais t'inviter à passer une fin de semaine à la campagne, près de Bromont.

   Impossible, je ne peux pas laisser mon chat tout seul.

   Mais si _____?

7. Tu pourrais recevoir Léopold chez toi, cet été?

   Non, je ne crois pas, je n'ai pas assez d'espace. C'est trop petit chez moi.

   Mais si _____?

8. Je ne fume plus.

   Pourquoi ?

   Parce que je souffre d'asthme.

   Mais si _____?

9. J'ai envie de prendre des vacances en même temps que mon mari.

   Comment, vous ne le faites pas ?

   C'est impossible, nos horaires sont trop différents.

   Mais si _____?

10. Viens-tu magasiner en ville cet après-midi ?

    Non, je ne peux pas. J'attends la livraison d'un gros meuble chez moi.

    Mais si _____?

11. Est-ce que ta fille est libre jeudi soir ? Nous sortons et je dois trouver quelqu'un pour garder les enfants.

    Hmm, je ne sais pas. Je crois qu'elle a beaucoup de devoirs.

    Mais si _____?

12. C'est fait, vous déménagez samedi ?

    Non, c'est impossible. On n'a pas trouvé de camion à louer.

    Mais si _____?

    Alors, là, oui !

*Conditionnel présent*

**Objectifs grammaticaux**
- Conditionnel présent
- Hypothèse : *si* + imparfait + conditonnel présent

**Objectif de communication**
- Exprimer une opinion.

# 15

## À leur âge !

A. Lisez l'article. Cochez ensuite les opinions de votre choix et expliquez votre position.

---

## Ensemble, ils ont 167 ans et elle doit s'enfuir pour l'épouser

Lentini, Italie (AFP) – Une veuve de 77 ans a dû échapper à sa famille pour pouvoir épouser son fiancé, un veuf de 90 ans, en raison de l'opposition de leurs enfants respectifs.

5 Cette *love story* s'est déroulée à Lentini, petite ville près de Syracuse en Sicile, où les habitants se sont partagés entre partisans – qui iront au mariage à l'église le 21 janvier prochain – et adversaires de ce coup de foudre.

10 Alfio Fiamma, deux fois veuf, cinq enfants et de nombreux petits-enfants, s'ennuyait depuis le décès de sa seconde épouse, l'automne dernier. Il a fait appel à une « marieuse » pour trouver une compagne, refusant sa solitude.

15 Giuseppa Scandurra, veuve, cinq enfants également, a été séduite dès leur première rencontre, en décembre. Suffisamment pour accepter le projet d'une nouvelle vie à deux, et pour s'enfuir de chez elle avec une petite valise, après avoir constaté l'opposition de toute sa famille. 20

« Ils font les moralisateurs, mais avant ça ne les gênait pas de me laisser seule entre quatre murs », commente-t-elle. Et lui surenchérit : « Nous nous aimons vraiment. Pourquoi faudrait-il se sacrifier aux préjugés et renoncer à vivre pleinement notre vie ? » 25

Pour remplacer les parents qui bouderont leur mariage, le nouveau couple a invité à la cérémonie «tous ceux qui ont envie de s'amuser et faire la fête».

*Le Devoir*, 8 janvier 1988.

---

1. Les enfants de ces deux personnes âgées devraient tout faire pour empêcher le mariage. ☐ Oui ☐ Non

2. Les enfants de ces deux personnes âgées devraient respecter le choix de leurs parents. ☐ Oui ☐ Non

3. Les enfants de ces deux personnes âgées devraient demander des explications à leurs parents respectifs. ☐ Oui ☐ Non

4. Ces deux personnes âgées devraient tenir un conseil de famille avant de poser un tel geste. ☐ Oui ☐ Non

5. Ces deux personnes âgées devraient s'enfuir sans donner d'explication à personne. ☐ Oui ☐ Non

6. Ces deux personnes âgées devraient être plus raisonnables car, à cet âge-là, on ne se marie pas. ☐ Oui ☐ Non

---

7. Ces deux personnes âgées ne devraient pas unir leurs situations financières.  ☐ Oui  ☐ Non

8. Ces deux personnes âgées devraient demander l'avis d'un avocat avant de se marier.  ☐ Oui  ☐ Non

9. Ces deux personnes âgées devraient demander l'avis d'un médecin avant de se marier.  ☐ Oui  ☐ Non

10. Les agences de rencontres devraient refuser les demandes des personnes âgées de plus de 70 ans.  ☐ Oui  ☐ Non

B. En groupes, discutez des hypothèses suivantes. Utilisez le conditionnel présent autant de fois qu'il vous sera possible de le faire.

1. Si l'un de vos parents vous annonçait son mariage?

2. Si vos parents divorçaient après 40 ou 50 ans de mariage?

3. Si l'un de vos parents refusait d'aller au centre d'accueil?

4. Si vos parents refusaient de se faire soigner?

5. Si vos parents vous déshéritaient en faveur d'un frère ou d'une sœur?

6. Si vos parents faisaient de mauvais placements?

7. Si vos parents décidaient d'avoir un enfant par insémination artificielle?

8. Si vos parents décidaient d'adopter un enfant?

9. Si vos parents gagnaient à la loterie?

10. Si l'un de vos parents demandait d'aller vivre chez vous?

# *16* Qu'est-ce qu'ils ont dit?

Lisez les déclarations suivantes. Rapportez les paroles des locuteurs en utilisant les expressions de la colonne de droite pour introduire le discours indirect au passé, comme dans l'exemple.

### *Exemple :*

L'administration municipale **fera** des efforts pour rendre sécuritaires tous les parcs de la ville. (Maire)

Le maire **a affirmé** que l'administration municipale **ferait** des efforts pour rendre plus sécuritaires les parcs de la ville.

> *dire, affirmer, assurer soutenir, ajouter, déclarer annoncer, signaler*

1. Le port du casque sera obligatoire pour tous les cyclistes dès l'été prochain. (Représentant de l'association des cyclistes du Québec)

   _____

   _____

2. Cinq athlètes composeront l'équipe canadienne de gymnastique féminine. (Président de la fédération canadienne de gymnastique féminine)

   _____

   _____

3. Nos bureaux seront fermés le lundi 24 juin. (Bell Canada)

   _____

   _____

4. Nous ferons des investissements importants dans le domaine des technologies de pointe. Mais nous ne négligerons pas notre propre marché: celui de l'industrie alimentaire. (PDG d'une importante compagnie de câblodistribution)

   _____

   _____

5. Une grave dépression affectera l'ensemble de la province, cette semaine. (Météo à la carte)

_____

_____

6. Nous déclencherons une grève générale si l'administration refuse de négocier. (Président du syndicat)

_____

_____

7. Il y aura des supplémentaires les 24, 25 et 26 mai prochains. (Agent d'une vedette de la chanson)

_____

_____

8. Il n'y aura pas de collecte de déchets le 1er juillet. (Représentant du conseil municipal de la Ville)

_____

_____

9. La cour demandera certainement le dépôt de la preuve lundi. (Avocat)

_____

_____

10. La compagnie enverra une réponse à tous les candidats. (Porte-parole d'une grande compagnie)

_____

_____

# Tableau I

Complétez le tableau soit avec un verbe au conditionnel présent, soit avec un verbe à l'imparfait, comme dans l'exemple.

| Conditionnel présent | Imparfait | Conditionnel présent | Imparfait |
|---|---|---|---|
| *Exemple :* j'écouterais | j'écoutais | on se baignerait | on se baignait |
| 1. | nous achetions | je resterais | |
| 2. | il marchait | | je téléphonais |
| 3. | nous aimions | nous préparerions | |
| 4. | elle arrivait | | elle ajoutait |
| 5. | vous sortiez | | ils se couchaient |
| 6. ils travailleraient | | je me renseignerais | |
| 7. on chanterait | | | je jouais |
| 8. | nous traversions | on dessinerait | |
| 9. il passerait | | | vous invitiez |
| 10. ils se lèveraient | | | j'ouvrais |
| 11. tu aiderais | | je me reposerais | |
| 12. | il regardait | | il appelait |
| 13. nous dormirions | | ils arriveraient | |
| 14. vous entreriez | | nous imaginerions | |
| 15. | il partait | | on allumait |

# Tableau 2

Complétez le tableau à l'aide de verbes au conditionnel présent ou au futur simple, comme dans l'exemple.

| Conditionnel présent | Futur simple |
|---|---|
| *Exemple :* nous aurions | nous aurons |
| 1. je ferais | |
| 2. | vous serez |
| 3. il viendrait | |
| 4. | je conduirai |
| 5. | ils aideront |
| 6. nous inviterions | |
| 7. | il sortira |
| 8. vous aimeriez | |
| 9. | nous répondrons |
| 10. on irait | |
| 11. | vous arriverez |
| 12. je boirais | |

# Tableau 3

Complétez le tableau à l'aide de verbes au conditionnel présent ou à l'imparfait, comme dans l'exemple.

| Conditionnel présent | Imparfait |
|---|---|
| **Exemple :** je serais | j'étais |
| 1. nous enverrions | |
| 2. il ferait | |
| 3. | on voyait |
| 4. vous devriez | |
| 5. il faudrait | |
| 6. | tu courais |
| 7. elle pourrait | |
| 8. | j'avais |
| 9. il pleuvrait | |
| 10. nous pourrions | |
| 11. | ils devaient |
| 12. | nous étions |
| 13. ils auraient | |
| 14. elle irait | |

# Tableau 4

Complétez le tableau, à l'aide de verbes au conditionnel présent à la forme interrogative, à la deuxième personne du singulier ou du pluriel. Suivez l'exemple.

| | |
|---|---|
| ***Exemple :*** Accepterais-tu ? | Accepteriez-vous ? |
| 1. Viendrais-_____ chez moi ? | |
| 2. Me prêterais-_____ la voiture ? | |
| 3. | Feriez-_____ un effort ? |
| 4. Pourriez-_____ me passer le dictionnaire ? | |
| 5. Irais-_____ avec moi ? | |
| 6. | Passeriez-_____ me voir ? |
| 7. Achèteriez-_____ cette maison ? | |
| 8. | Prendrais-_____ un bain ? |
| 9. | Aimeriez-_____ sortir ? |
| 10. Souhaiterais-_____ aller au cinéma ? | |
| 11. | Voudrais-_____ manger au restaurant ? |
| 12. Prépareriez-_____ le repas ? | |
| 13. | Me dirais-_____ la vérité ? |
| 14. Me donneriez-_____ le renseignement ? | |

# Tableau 5

Complétez le tableau à l'aide de verbes du deuxième groupe au conditionnel présent ou à l'imparfait, selon le cas.

| Conditionnel présent | Imparfait |
|---|---|
| *Exemple :* on choisirait | on choisissait |
| 1. je finirais | |
| 2. nous investirions | |
| 3. | je grossissais |
| 4. vous avertiriez | |
| 5. on établirait | |
| 6. | nous nous appauvrissions |
| 7. | on se réunissait |
| 8. tu applaudirais | |
| 9. il envahirait | |
| 10. | vous définissiez |
| 11. elle salirait | |
| 12. nous réagirions | |
| 13. | on remplissait |
| 14. vous réussiriez | |

# Tableau 6

Complétez le tableau en utilisant la structure suivante, comme dans l'exemple.

**Si + imparfait + conditionnel présent**

| | |
|---|---|
| *Exemple :* **Si** tu **faisais** de l'exercice, | tu **serais** en meilleure forme. |
| 1. S'il arrêtait de neiger, | |
| 2. Je présenterais une demande d'emploi, | |
| 3. Si le film était plus court, | |
| 4. | je ne pourrais pas lui pardonner. |
| 5. Si j'avais son numéro de téléphone, | |
| 6. Vous feriez ce travail, | |
| 7. Si j'étais à ta place, | |
| 8. | si j'avais une voiture. |
| 9. | elle pourrait participer. |
| 10. Si les jeunes de moins de 16 ans pouvaient conduire, | |
| 11. | le syndicat ne serait pas obligé de proposer la grève. |
| 12. | si la situation économique était meilleure. |
| 13. Si l'hiver durait trois mois au lieu de six, | |
| 14. Si j'obtenais cet emploi, | |
| 15. Nous ne serions pas obligés de les attendre, | |

# Tableau 7

Complétez le tableau à l'aide de verbes au conditionnel présent ou à l'imparfait, selon le cas.

| Conditionnel présent | Imparfait |
|---|---|
| **Exemple :** on prendrait | on prenait |
| 1. il dirait | |
| 2. | j'écrivais |
| 3. nous lirions | |
| 4. | vous attendiez |
| 5. | elle répondait |
| 6. on connaîtrait | |
| 7. ils conduiraient | |
| 8. | j'entendais |
| 9. | vous descendiez |
| 10. on se rendrait | |
| 11. nous entendrions | |
| 12. | je traduisais |
| 13. elles comprendraient | |
| 14. | je m'étendais |

imprimerie  gagné ltée